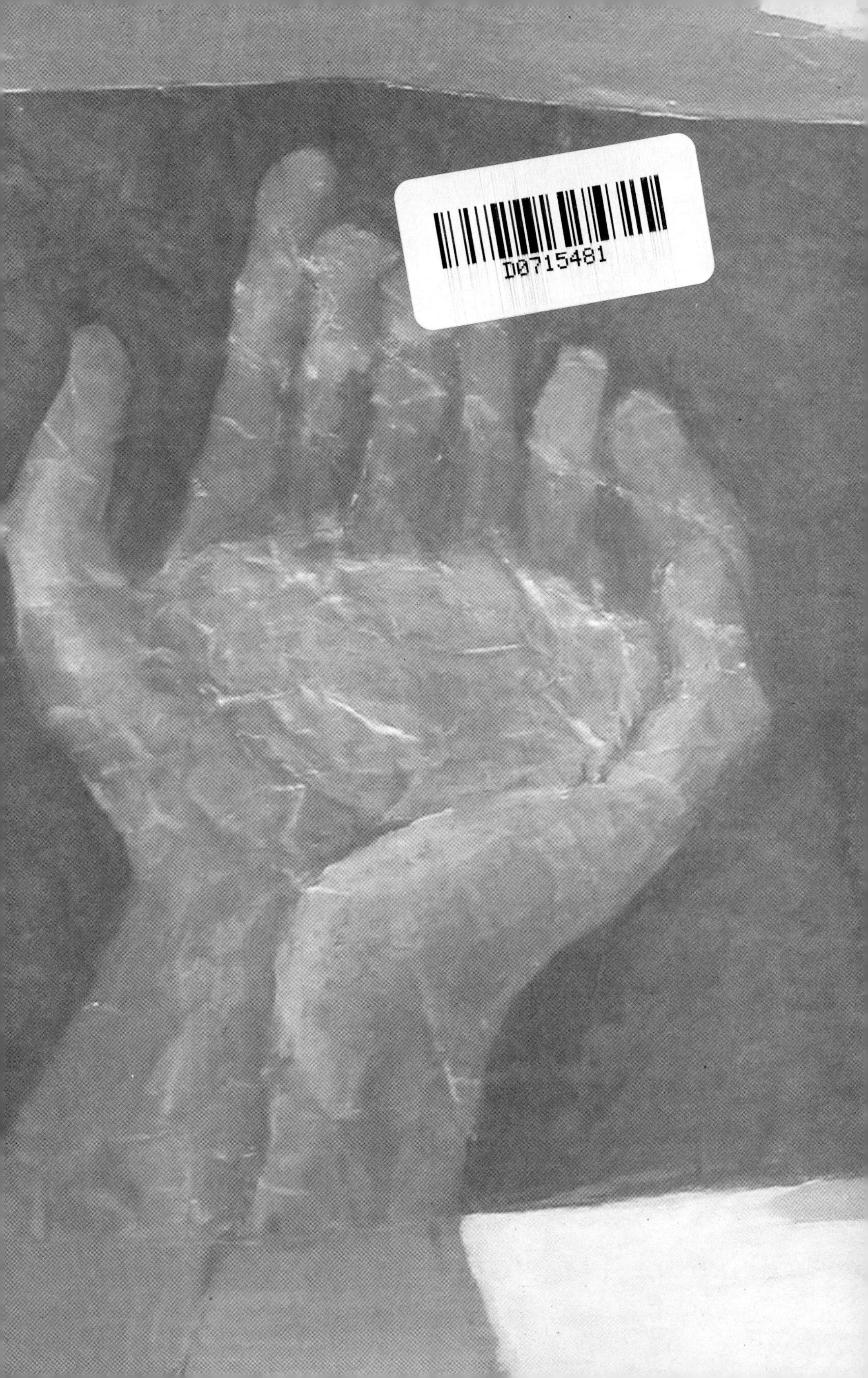

Ce livre,
publié dans la collection
ROMANICHELS
dirigée par
André Vanasse
a été placé
sous la supervision éditoriale de
Josée Bonneville.

De la même auteure

Les citadines, Québec, Septentrion, 1995.
Loretta, Montréal, Éditions Beaumont, 1999.
La cour, Bruxelles, Maelström, 2003.
On vit drôle, Bruxelles/Montréal, Maelström/Adage, 2005.

Joies

Catalogage avant publication de Bibliothèque et Archives nationales du Québec et Bibliothèque et Archives Canada

Guilbault, Anne, 1968-

Joies : roman

(Romanichels)

ISBN 978-2-89261-542-5

I. Titre. II. Collection.

PS8563.U458J64 2008 C843'.54 C2008-941980-4
PS9563.U458J64 2008

La publication de cet ouvrage a été rendue possible grâce à l'aide financière du ministère du Patrimoine canadien par l'entremise du Programme d'aide au développement de l'industrie de l'édition (PADIÉ), du Conseil des Arts du Canada (CAC) et du ministère de la Culture et des Communications du Québec (MCCQ) par l'entremise de la Société de développement des entreprises culturelles (SODEC).

XYZ éditeur
1781, rue Saint-Hubert
Montréal (Québec)
H2L 3Z1
Téléphone : 514.525.21.70
Télécopieur : 514.525.75.37
Courriel : info@xyzedit.qc.ca
Site Internet : www.xyzedit.qc.ca

et

Anne Guilbault

Dépôt légal : 4e trimestre 2008
Bibliothèque et Archives Canada
Bibliothèque et Archives nationales du Québec
ISBN 978-2-89261-542-5

Distribution en librairie :

Au Canada :
Dimedia inc.
539, boulevard Lebeau
Ville Saint-Laurent (Québec)
H4N 1S2
Téléphone : 514.336.39.41
Télécopieur : 514.331.39.16
Courriel : general@dimedia.qc.ca

En Europe :
DNM — Distribution du Nouveau Monde
30, rue Gay-Lussac
75005 Paris, France
Téléphone : 01.43.54.49.02
Télécopieur : 01.43.54.39.15
www.librairieduquebec.fr

Droits internationaux : André Vanasse, 514.525.21.70, poste 25
andre.vanasse@xyzedit.qc.ca

Conception typographique et montage : Édiscript enr.
Maquette de la couverture : Zirval Design
Photographie de l'auteure : Pierre Skilling
Illustration de la couverture et des pages de garde : Ève Laforge, *Prière* (détails), 2005.

Anne Guilbault

Joies

roman

Romanichels

Je remercie vivement le Conseil des arts et des lettres du Québec pour son soutien lors de l'écriture de ce roman.

Pour Éléonore

Pierre
Denys-Louis Colaux
Otto

Ici commence ce qui m'a jeté seul agenouillé devant toi
Dans un instant de temps figé et d'espace réduit à son néant

WERNER LAMBERSY,
Maîtres et maisons de thé

Sache que toujours
entre les rives
coule quelque chose
d'inaudible

OTTO GANZ,
Leçons de souffle

Car ce n'était pas la réalité de la mort, soudain rappelée, qui était angoissante. C'était le rêve de la vie, même paisible, même rempli de petits bonheurs. C'était le fait d'être vivant, même en rêve, qui était angoissant.

JORGE SEMPRUN,
L'écriture ou la vie

Ils me disent que Georgie ne reviendra pas, que je suis fou, que je n'arriverai pas à recoller les morceaux. Mais ce n'est pas vrai. Ils me disent: «Regarde autour. Regarde. Il n'y a que la ville, les arbres, les gens et les chiens.» Ils me disent que je dois m'accrocher à ce qui est. Je les fracasse tous sur le mur dans mon cerveau. Les uns après les autres, ils volent en éclats. Je balaie les morceaux dans un coin. Mais même en miettes, ils continuent de vivre et de me parler. Je ne dois pas les écouter. Je dois les faire taire. Je dois me concentrer. Georgie est là, avec moi. Georgie tient ma main pour ne pas me perdre. La ville défile autour de nous. Les bruits, les odeurs, les couleurs, tout se mélange dans ma tête. *On va voir le fleuve on va prendre le train ne marche pas dans les flaques d'eau*. Les marchands sentent la sueur, les étalages, la pluie. Une vieille dame a échappé sa canne. Elle vacille. Elle tombe. Une petite fille se regarde dans une vitrine. Partout des gens que je ne connais pas. Partout des gens qui vivent, comme nous. Je ne sais pas où ils vont. Je ne sais pas qui ils aiment. Nous, on va chez Tomasz, à la mer. La ville défile autour de nous. Il ne faut pas que je crie. Il ne faut pas que je crie quand Georgie tient ma main. Même s'il y a le soleil dans ses cheveux. Même si mon cœur est trop grand pour ma poitrine. Même si ça fait mal dans ma tête, la vie…

❑

D'habitude, le building de Tomasz arrive devant nous. C'est comme ça chaque fois. Les choses se présentent toujours de cette façon. Puis nous entrons. Nous montons chez lui. Il ouvre la porte. Il embrasse Georgie. Il l'entraîne dans la chambre. Moi, j'attends. Je m'assois dans le salon. Je bois le vin de Tomasz en regardant les voitures dehors, tout en bas, toutes petites. Je ne crie pas. Je regarde par la fenêtre. Le lit craque dans la chambre à côté. J'entends leurs rires. Georgie s'épanouit dans les bras de Tomasz comme dans ceux de l'acrobate du cirque, « avant ». Elle dit toujours : « avant ». Et ça veut dire quand elle était avec l'acrobate du cirque. Avant qu'il ait disparu. Ou alors elle dit : « après ». « Après que le cirque est parti et que j'étais toute seule. » Ces mots la situent dans son temps à elle.

❑

Chez Tomasz, le soleil goûte le vin. La ville est froide. Les voitures rient comme lui en train d'aimer Georgie. Je voudrais forcer la porte de la chambre pour le tuer, pour lui enfoncer les draps dans la bouche et qu'il étouffe. Mais elle sort de la chambre. Sourit. Rajuste sa coiffure. Lisse son chemisier. Elle fait comme si j'ignorais ce qui vient de se passer entre eux. Elle fait comme si je ne pouvais pas comprendre. Puis, on retourne chez nous en marchant tranquillement. Elle a sommeil. Ses poignets sont rouges. Il ne faut pas que je crie chez son amant. Je dois me contrôler. Elle dit qu'il s'occupe bien d'elle, alors je dois faire comme si tout était à sa place. Je dois me dire, comme si cela avait un sens : « Nous sommes avant autre chose. Ou après que l'acrobate a raté son numéro. Simplement entre deux événements qui jalonnent le temps. » Je dois me contenter de fracasser l'amant sur le mur de mon cerveau. Mais ce jour-là dont je me souviens, on ne va pas chez lui dans la ville. C'est vers le train qu'on va. Le train qui descend le fleuve jusqu'à la mer.

❑

Elle donne de l'argent aux clochards. Ils dorment par terre dans la poussière. C'est le matin. *On va prendre le train on va voir le fleuve ne marche pas dans les flaques d'eau.* Deux hommes se battent derrière un restaurant. Ils nous aperçoivent. Ils crient: « Eh mademoiselle, ça vous dirait de nous suivre? On n'est pas méchants… » Elle fait signe que non. « T'es sourde ou quoi? Tu veux pas nous faire une pipe? » Je cours vers eux pour les assommer. Pour les battre jusqu'au sang. Pour leur arracher la langue. Pas le droit de la toucher. ILS N'ONT PAS LE DROIT! Je vais leur enfoncer les doigts dans les yeux, crever leur regard voleur, les lapider, les battre à mort. Elle m'entraîne. On va aussi vite que le vent. On traverse la rue entre les voitures qui klaxonnent. On arrive au parc. Ils ont abandonné la partie. On les a vaincus. On a couru plus vite que la ville.

❑

Les petites filles jouent dans le carré de sable. Les vieilles dames s'ennuient sur les bancs. Tous les jours, elles sont là avec leurs paysages au fond des yeux. Je les regarde et je vois ce qu'elles voient. Elles dansent avec leurs hommes. Elles portent des robes d'autrefois et des souliers à talons hauts. Elles ont des jambes fines et des bras maigres dans leurs images à elles, avant qu'elles ne se brisent. Elles sont souples comme des petites filles. Elles donnent naissance à des enfants. Elles courent vers leurs amants. Elles enterrent leurs parents, puis leur mari, leurs amies… Elles pleurent leurs disparus. Elles se courbent. Elles regardent jouer les enfants dans les carrés de sable qui sont des villes comme celle-ci qui bouge sous mes pieds, autour de moi, partout. Georgie reprend son souffle. Je l'ai sauvée des hommes des ruelles. Ils volent sa chaleur à moi avec leurs yeux.

❑

La ville nous encercle tandis que nous marchons vers le port. Elle nous encercle et nous sommes soudés l'un à l'autre au milieu du vacarme. Les sons me projettent contre Georgie. Les sirènes des ambulances, les coups de freins m'emplissent la tête et me projettent contre elle. Nous marchons dans la rue, au milieu de la rue, Georgie et moi, vainqueurs contre les va-nu-pieds des ruelles. Ils nous veulent du mal. Le chien là-bas poursuit un oiseau invisible, le chien de papier mâché, mince comme les pages d'un carnet. Je m'élance vers lui pour le plier en deux. Georgie me tire par la main et la musique me crève les tympans. La voix de Georgie, le chant des oiseaux, les moteurs des voitures, le soleil sur l'asphalte, la musique de tout ça me transperce les tympans. Je ne sais pas qui habite de l'autre côté du fleuve, là où nous allons pour trouver la maison de Tomasz. Nous avançons dans le bruit qui nous avale, sa main dans ma main comme une attache qui m'empêche de perdre mon chemin. Je prends bien garde de lâcher sa petite main. Faut pas qu'elle tombe. Faut qu'elle évite les crevasses qui s'ouvrent sous ses pieds. Elle dit : « Nous allons quelque part où il y a des arbres. Quelque part où nous serons là sans vouloir être ailleurs. » Paume contre paume, c'est là que nous allons, dans la lumière qui éclabousse nos pas.

❑

Plus tard on arrive au train. On est dans le train. Il siffle. La gare s'en va. Elle s'en va de plus en plus vite. Il n'y a plus ni ciel ni terre ni maisons ni rien. Seulement un mur qui file puis tout à coup des champs jaunes avec des collines vertes. Je regarde dehors. Le paysage va moins vite que la ville. Tout s'en va. Tout nous quitte. Quand tout nous quitte, on tombe par terre. On peut se relever aussitôt, rester debout en gardant l'équilibre, mais la terre s'est mise à bouger sous nos pieds. Il faut alors s'accrocher à quelque chose. Trouver une prise. Ne pas la lâcher. Jusqu'à ce que tout redevienne immobile et qu'on puisse à nouveau marcher sans risque de tomber. Quand Georgie est partie de la maison, mère est tombée par terre. Elle ne disait plus rien. Moi aussi je me suis accroupi. J'ai compté les carreaux du plancher jusqu'à ce que la secousse s'apaise. Je me suis relevé. J'ai regardé mère. Elle n'était plus là. Son visage était fermé comme une tombe. J'ai attendu que Georgie revienne me chercher. Elle est revenue et je n'avais pas oublié son odeur. « Mais tout ça, c'était avant », elle dirait avec certitude. Et elle balaierait les images du revers de la main. Avant. Avant ce matin-là dans le train avec Tomasz. Georgie balaie toujours les images du revers de la main quand elle les situe « avant ». Comme si elles n'avaient plus d'importance.

❑

Nous sommes dans le train. Elle caresse la main de Tomasz. Ses jambes sont collées aux jambes de son amant. Elle porte une longue jupe rouge et un pull noir, moulant. Elle est chaussée de sandales noires, avec des courroies croisées qui entourent ses chevilles. La couleur de son rire me heurte le regard. Dans l'enfance, elle rit toujours pour moi. Elle me garde dans son rire. Elle me place dedans. Elle est toute petite pour moi, tendre pour moi, sa chaleur toute pour moi. Dans le train, mes mains ne savent pas quoi faire d'autre que de se plaquer sur la vitre, sur le paysage qui court. Je ne peux pas l'arrêter. Mes mains ne sont pas assez fortes pour stopper le paysage. La terre qui défile emporte les images de douceur et me laisse avec ce que je ne veux pas voir. Tomasz dans les yeux de Georgie. Tomasz dans son rire. Tomasz dans son parfum. Je veux le ciel bienveillant au-dessus de nos têtes et la terre solide sous nos pieds. Georgie ouvre la fenêtre du wagon. Elle sort la tête à l'extérieur. Son chignon se défait. Tomasz a peur : « Attention, ma chérie ! » Il a peur, mais moi je sais qu'elle ne peut que s'envoler.

❑

On descend du train et tout de suite dans mes mains la chaleur du vent, dans mes yeux le cri des mouettes, dans ma bouche l'odeur du sel. Je me souviens des larmes de Georgie quand nous étions petits. De cela je me souviens clairement. Les maisons autour de nous, les maisons du village que nous traversons, ont des yeux qui nous suivent, des oreilles qui entendent. Faut pas que je crie. Seulement marcher tout droit. Seulement plonger mes yeux dans la noirceur des ombres sur les trottoirs, les ombres des maisons, les squelettes des arbres, par terre, sur l'asphalte. Faut pas que je marche sur les ombres. Ce sont des trous. On peut tomber dedans. Je le sais. Cela m'est arrivé. Je suis tombé sous l'arbre du jardin de mère. Dans le noir j'étais, très creux… Je ne pouvais pas revenir… Quand je suis remonté, le décor avait changé. Les choses que je connaissais étaient différentes. La maison de mère était toute proche. Je la voyais en gros plan. Je regardais les gens et les choses familières et j'en voyais chaque détail, grossi cinquante fois. Mère avait vieilli. Georgie était plus grande. J'ai voulu parler : je criais. Ma voix pour les mots était restée dans l'ombre. Je n'ai pas pu aller la chercher parce que mère a fait remplir le trou par des tracteurs. Georgie pleurait, pleurait, des larmes salées qui rougissaient la peau de ses joues.

❑

Le soleil est en miettes éparpillées sur le fleuve. La maison de bois est une ombre qui nous recouvre. Elle craque de partout dans le vent. Les bardeaux de cèdre sont délavés. La peinture des volets est écaillée. C'est ici que Tomasz vivait avec sa femme. « Avant », dit-il, lui aussi. Mais il ne s'agit pas du même « avant » que celui de Georgie. Il ne peut s'agir du même. Il ne parle pas du cirque. Il n'a pas connu l'acrobate. Son « avant », c'est cette maison derrière laquelle il y a un jardin frémissant avec des arbres pleins de vent et des fleurs pleines de lumière. Personne ne peut arrêter le mouvement ici. Il n'y a pas de buildings pour arrêter le vent, pas de mur contre le son, pas d'hommes qui lancent des insultes. Je cours, je saute dans le vent, j'éclate de partout. Nous sommes seuls ici au milieu de tout. Je me couche dans l'herbe chaude et le ciel tourne. Les nuages s'en vont…

❑

Une fois que le ciel est parti, je me relève. Je reste assis dans l'herbe. Georgie a enlevé ses sandales. Sa jupe touche l'herbe. Oui, toute petite, elle est, comme dans les images d'enfance. Elle est toute là avec la vivacité dans ses gestes. Elle prend possession des objets et des lieux de la maison de Tomasz. Ses pieds sur la galerie, ses mains faisant claquer la porte, puis écartant les rideaux, puis ouvrant les fenêtres, font exister ces choses. Les lieux prennent de la profondeur. Les odeurs de la maison me parviennent : le bois, la poussière. Tomasz fait du feu pour chasser l'humidité. Il bouge les cendres avec le tisonnier. Il ne dit rien. Il ne regarde pas autour de lui. Il n'a pas eu un seul regard pour le jardin en arrivant quand il est allé chercher le bois. Il n'a pas regardé les arbres et les pierres de la terrasse. Il met des heures à faire du feu. Georgie explore. Elle ouvre des fenêtres. J'entends grincer les gonds des portes qu'elle ouvre. Je ne peux pas encore entrer. C'est la maison de Tomasz et de sa femme d'autrefois. J'attends que Georgie ait exorcisé les lieux, qu'elle ait ouvert toutes les fenêtres pour chasser les fantômes, qu'elle ait claqué toutes les portes et refait tous les lits, qu'elle ait redonné du mouvement aux pendules. Je me répands dans le jardin où tout bat au rythme de mon âme.

❏

Je ne reste pas longtemps assis dans l'herbe. Tomasz vient me rejoindre dans le jardin. Il s'assoit sur une pierre et allume une cigarette. Il regarde dans le vide. Je pense : « Il se réveille d'un cauchemar. » Georgie s'en va au village. Elle dit : « Je ne serai pas longue. » Je m'installe dans la balançoire pour l'attendre. Comme Tomasz l'attend sur sa pierre. Georgie est partie. Elle va revenir. Elle est partie chercher le pain au village dans sa jupe rouge. Assis dans la balançoire, je vole, je touche au ciel. Les arbres montent, descendent, montent, et la maison, et la mer. J'attends Georgie. La route descend et remonte. La route qui a emporté Georgie et qui va la ramener avec le pain chaud pour le dîner et sa chaleur dans les yeux, juste pour moi, dans son regard. Elle sera là dans le soleil. Elle arrivera et je retomberai sur mes pieds. Je reprendrai ma taille normale. Je me remettrai à respirer. Le monde retrouvera sa troisième dimension. L'oiseau, creux dans ma poitrine, s'apaisera. Le cri se taira. Il n'y aura même jamais eu de cri. Il n'y aura même jamais eu de creux. Il n'y aura jamais eu de dispersion ni de miroir éclaté. Je serai dans le monde. Je serai au monde. Je serai le monde.

❑

Je vole. Je touche au ciel. La route monte, la route descend, désespérément vide. Je ne sais plus descendre de la balançoire. Il n'y a plus de troisième dimension. Je ne sais plus sauter. La route monte, la route descend. Elle a dit : « Je ne serai pas longue. » La route monte, la route descend. Je vole. Je touche au ciel. Tomasz est assis sur sa pierre, prisonnier de l'instant lui aussi. La route a emporté Georgie. Elle l'a menée loin de nous. Elle monte et descend. Puis : ELLE RAMÈNE GEORGIE ! LA ROUTE RAMÈNE GEORGIE ! Je vois ses cheveux, je vois sa robe rouge dans le soleil, elle arrive avec le pain chaud, elle est là comme si elle n'était jamais partie ! Elle pose le pain sur la vieille table du jardin, dans une tache de soleil. J'attends qu'elle le rompe et place les morceaux dans le panier. J'attends qu'elle mette la table et arrange les fleurs dans le vase. J'attends qu'elle mette le couvert et verse le vin. J'attends que tout soit prêt pour le repas. J'attends qu'elle pense à moi. J'attends qu'elle se retourne, qu'elle lève les yeux et me cherche. J'attends qu'elle me désire. J'avancerai vers elle lorsqu'elle m'attendra. J'avancerai vers elle seulement quand elle dira mon nom pour que je la rejoigne. Je n'irai pas la rejoindre avant qu'elle dise mon nom. Je reste immobile dans le bonheur de la minute suspendue juste avant le bonheur. J'attends patiemment. Juste pour cette seconde où elle ne pensera qu'à moi. Juste pour qu'elle me nomme et que j'explose. Juste pour que la lumière m'entre toute dans la tête et consume mon attente.

❑

Tomasz ouvre les placards et les referme. Je le suis. Dans les placards, il y a des fragments de la première femme. Des robes, de grands chapeaux. Le visage de Tomasz est gris. Il prend les vêtements qu'il trouve et les porte dans un coin. Ses mains tremblent quand il ouvre une grande boîte de bois. Il la referme précipitamment. Il la dépose sur le tas de vêtements. Il faut jeter tout, balayer la place, souffler la poussière. Je balaie dans tous les coins pour chasser la femme qui est partie de l'autre côté du jour. Je balaie derrière Tomasz. Dès qu'il referme un placard, je l'ouvre à nouveau. Il faut tout nettoyer. C'est comme ça qu'on chasse les fantômes. Georgie veut que je la rejoigne dans la cuisine, mais je ne peux pas. Je dois balayer dans toutes les pièces pour qu'on ait notre place à nous dans la maison de Tomasz. Elle devrait savoir que c'est très important, qu'il ne faut pas rêver. Faut pas rêver autant, pas rêver au temps futur, ni au temps passé. Ce sont des chimères. Il faut se tenir en équilibre, ne jamais perdre de vue le fil de fer, ne pas regarder autour ni en bas, se contenter de mettre un pied devant l'autre, délicatement. Il y a moins de fracas dans ma tête quand je ne rêve pas. Quand je me contente de regarder et de sentir ce qui m'entoure. Quand je ne désire rien d'autre que regarder Georgie pliant les nappes et Tomasz préparant à manger, et sa main frôlant la taille de Georgie. Quand je n'entends rien d'autre que le son de la nappe que Georgie déploie d'un coup au-dessus de la table, l'eau qui bout et le crépitement des poivrons qu'on fait rissoler dans l'huile, puis le tintement des assiettes qu'on place, trois assiettes pour Georgie, Tomasz et moi. Faut pas rêver. Il y aura désormais trois places à table. Il y aura toujours entre ma sœur et moi un autre convive. C'est immuable. C'est comme ça. « Touche mon visage », a dit Georgie. « Touche mon visage. Plus fort. Touche mon cou, touche mon ventre. Est-ce que je ne suis pas là, elle a dit, est-ce que je ne suis pas là avec toi, là, maintenant ? »

❑

Georgie et Tomasz derrière moi, devant moi, à mes côtés. Je cours de toutes mes forces. J'écarte les bras comme un oiseau et je vole. Je fends l'air. Je bois l'odeur du fleuve. La grève roule sous nos pas. J'entends les mots de Tomasz. Il parle de la femme de lumière. Elle est partie dans un mur. Ils ont foncé dans un mur de pierre avec l'auto. Tomasz dit : « Elle avait serré les poings. » La femme de lumière est partie en miettes. « Ses ongles avaient crevé ses paumes. » La grève est rouge, faite de sable rouge. Il n'y a pas d'ombre sur la grève. Le fleuve est l'ombre, mais nous ne nous en approchons pas. Nous ne pouvons pas tomber. C'est la femme de lumière qui est tombée. Elle ne reviendra pas. Les cheveux de Georgie, sombres comme le fleuve. Elle tend la main à Tomasz. Il a enlevé ses lunettes. Il s'essuie les yeux. Georgie ne dit rien. Ils sont devant moi, derrière moi, à côté. Le ciel est fâché mais là-bas, à la pointe, la lumière tombe sur les maisons blanches. Un drapeau bleu et blanc claque au vent. Je cours plus vite que le ciel.

❑

Un cirque s'installe au village. Les acrobates vont faire un spectacle, comme celui auquel on assistait Georgie et moi le dimanche, au temps de l'enfance. On y allait tous les dimanches sans le dire à mère. Georgie marchandait avec les commerçants. Elle souriait. Ils lui donnaient ce qu'elle voulait pour presque rien. On gardait quelques dollars. On allait au cirque. Georgie mettait toujours sa plus belle robe ou une longue jupe de bohémienne. On s'assoyait au premier rang sous la tente jaune. On regardait. Elle était fascinée par les acrobates. Ensuite on flânait entre les camions. Les artistes trimballaient leur fatigue d'une roulotte à l'autre. Leurs costumes glissaient sur leurs corps. Leur maquillage dégoulinait. Ils ne s'occupaient pas de nous. Sauf l'acrobate qui souriait. Il voyait Georgie. Il lui caressait la joue. Il faisait comme si on avait toujours été là. On revenait le dimanche suivant. Après le spectacle, il embrassait ma sœur sur la bouche. Il la plaquait contre un camion. Il glissait une main sous sa jupe. Georgie malléable entre ses mains. Il la sculptait. Il la sculptait contre le camion, debout. Elle apprenait le plaisir. Elle s'en fichait que je voie, que quelqu'un les voie. Elle s'ouvrait comme un livre. Je les regardais de loin. Je ne perdais pas une minute du spectacle. Cela devenait notre secret. Tous les dimanches de l'été, on venait voir l'acrobate. On construisait l'avant de Georgie. Elle ne le savait pas encore. Elle ne se doutait de rien. Elle ne s'apercevait même pas que la terre s'était mise à bouger sous nos pieds. Le mouvement s'était accéléré. Tous les dimanches, l'acrobate était là et l'accueillait en souriant. Cela seul avait de l'importance pour elle. Je les observais, caché derrière un camion ou une roulotte. Tous les dimanches, Georgie et moi, on crevait le ciel au même moment.

❏

Puis, plus rien. Le cirque était parti, laissant derrière une place vide, des rebuts, des empreintes de pneus dans la boue. Tous les dimanches, on y retournait. Le cirque était bel et bien parti. Elle a cherché sa trace dans les journaux pendant des semaines. Rien. Disparu pour toujours. Le manque lui a rongé le visage. Le cirque, au village de Tomasz, elle y va tous les jours. On y va tous les jours, après le souper. Elle regarde. Les femmes font manger les enfants. Les hommes s'occupent des bêtes ou font de la musique. Ce n'est pas le même cirque. La vie a coulé en pics et en creux. Ici, c'est un cirque de gitans, improvisé et sauvage, avec des enfants libres qui traînent partout et un chien galeux que tout le monde rejette avec des coups de pied. Georgie cherche son amant. Il est parti. Tomasz est son amant. Le cirque emplit ses yeux. Tomasz emplit ses yeux. Je ne suis pas dans ses yeux. Le dernier dimanche, le dernier dimanche du cirque dans la ville, « avant », le trapéziste est tombé dans le filet de protection en écartant les bras comme je fais quand je vole.

Je ne vais pas bien. Il faut que je me repose. Que je laisse fuir ce qui a fui. Que je laisse couler le temps. Mère m'a placé à la maison des fous. J'ai peur. Les malades hurlent parce que les femmes blanches sont sans odeurs et sans cheveux, pas mieux que des fantômes. Les sons qui m'entourent sont froids et métalliques : des claquements de portes étanches, des cliquetis de clés. On nous donne de l'eau fade et tiède. Comme si le fait d'être emprisonné dans sa tête annihilait les sens… Dans la maison des fous, j'attends Georgie. Je pense : « Tout est dans ma tête, là. Tout est là. Il suffit que j'aligne tout, que je passe tout en revue sur le mur dans mon crâne. Tant que je n'oublie rien, Georgie est là. Le temps qui nous appartient n'est pas fini. Il n'y a pas eu de rupture. Un nouvel épisode se construit. Tant que je n'oublie rien, je ne suis pas seul. Elle viendra me chercher. Elle vient toujours me chercher. Elle ne me laissera pas ici. Elle reviendra me chercher. Elle sera là. Avec sa chaleur à moi. »

❏

Les femmes blanches n'ont pas de racines. Elles flottent parmi les fous. On ne les entend pas venir, mais elles sont toujours là, quelque part, à tendre des pilules ou de l'eau croupie avec leurs mains froides. Elles ne mangent jamais, ne dorment jamais, n'écartent jamais les jambes. Ce sont des femmes de craie. Elles s'effritent, mais on ne s'en aperçoit que le soir, quand les concierges balaient la poussière. Elles ont un seul visage et un seul regard. Les fous le savent, les fous le disent. Mais qui écoute? Qui écoute? Ceux de l'extérieur se bouchent les oreilles. Ils ont érigé des murs. Mais ils n'ont pu construire de murs assez épais et de portes assez hermétiques pour contenir les cris à l'intérieur. Leur seul recours est de faire plus de bruit que nous. Mais ils n'y arrivent pas! Nous crions plus fort qu'eux. Notre vacarme fait voler en éclats les vitres et se tordre les barreaux. Nous ne sommes pas tristes. Nous portons le monde en nous. Nous voyons tout. Nous avalons tout. Nous vaincrons la morosité et la peur. Notre souffle fera exploser les murs de la prison. Les visages blêmes et fermés de ceux du dehors éclateront comme des feux d'artifices. Nous marchons tous dans la même direction.

❑

Les journées s'écoulent, rythmées comme des horloges: l'heure des médicaments, l'heure des repas, l'heure du bain, l'heure du jeu. Il y a toujours un geste à faire, une règle à laquelle obéir qui ankylose la pensée. Parfois, je fais seulement semblant d'avaler les pilules. Ensuite je peux mieux me souvenir. J'écris dans un calepin. Les odeurs et les sons me reviennent. Les couleurs me donnent mal à la tête. La camisole n'y change rien. Les murs capitonnés non plus. Les couleurs, trop vives, explosent. Elles éclatent mon regard. Dans un morceau de verre poli par le fleuve, je me plonge en entier. Ils n'ont pas réussi à me l'enlever. J'ai hurlé. Je l'ai mis dans ma bouche. C'est un morceau de Georgie. C'est un morceau de ma mémoire qui tient au creux de ma main. Je ne sais plus de quel tout il s'est détaché.

❑

Je ne dois pas replier mes doigts. Je ne dois pas fermer le poing. Je lisse les plis de la couverture sur le lit. Quand tout sera lisse et plat, je pourrai me concentrer sur le fleuve dans ma tête. Il a porté les images de Georgie plus loin, à côté des arbres coupés… Georgie chiffonne toujours les couvertures de mon lit en sautant dessus. Elle déplace toujours les objets de ma chambre. Ici, on me laisse faire. Je ne crie pas la nuit. Je suis avec Georgie. J'absorbe les odeurs de varech et de cèdre, de bois qui brûle. Le docteur répète toujours qu'il y a un «avant» puis un «après». Il veut mettre de l'ordre en moi. Il ne comprend pas. Cela ne s'applique pas à notre histoire. Je peux penser « avant, dans l'enfance, Georgie a dit et fait cela ». Je peux penser « après l'hiver vient le printemps». Mais ce n'est qu'un stratagème. Il n'y a ni avant ni après. Tout est là, en même temps, dans le morceau de verre qui repose au creux de ma main.

❑

Je m'assois dans la pièce qui sent bon le bois ciré. C'est ici que le docteur est supposé me guérir. Par la fenêtre, on voit un orme. Il respire calmement. Le docteur me regarde. Il me tend un papier pour que j'écrive. Souvent il ne dit rien. Il empile soigneusement dans un dossier les feuilles que je lui tends. Il se lève. Il dit : « À demain. » Je tente de le convaincre que je vais bien. C'est la seule façon de sortir d'ici. Je l'ai fait plusieurs fois déjà. Je fais un effort de cohérence. Je collabore à mon traitement. Je souris. Je ne crie pas. J'écris : « Avant ». J'écris : « Après ». Quand l'heure est écoulée, un infirmier me reconduit à ma chambre. Je replonge dans l'éclairage cru des couloirs de l'hôpital. Le docteur n'entend pas la musique du cirque. Il ne sait pas que les orages sont nécessaires. Son traitement n'est pas le bon. Il faut simplement que je retienne mon souffle. Il faut le silence en moi et l'absence de souffle pour que me revienne Georgie dans un éclair, dans un coup de vent, sous la pluie…

❑

Le docteur m'a demandé qui étaient les femmes de verre. Certaines femmes sont de verre, ai-je répondu sur une feuille. Il répète ce que j'écris. Il se fait l'écho de ma voix en lisant mes mots. De sorte que ce que je pense me revient décalé et formulé avec une voix qui ne m'appartient pas. De sorte que mes propres pensées me semblent étrangères. Comme si je pensais en dehors de moi. Les femmes de verre sont translucides. Elles viennent du ciel translucide. Elles me regardent avec des couchers de soleil dans le regard. Elles me font signe de les suivre. Je vais vers elles. Je peux rarement les toucher ou les caresser. Je m'approche tout près jusqu'à voir le grain de leur peau. Elles ne dégagent aucune chaleur, aucun parfum qui soit différent de celui de la ville. Elles sont là. Je les regarde. Tout peut se briser, docteur. À tout moment tout peut se briser. Le monde est immense et les femmes de verre, si délicates. Je dois faire attention. La parole rend sourd. Elle détruit les châteaux de cartes. Elle fait fondre la pierre. Elle fait pleurer les petites filles. Elle fait éclater le verre.

❑

Je ne veux pas expliquer. Il n'y a rien à expliquer. Je suis couché contre Georgie dans une chaise longue pendant que les hommes remplissent de terre le trou sous l'arbre coupé. Je pense : « Le corps de Georgie contre le mien, dans la chaise longue. » Je ne peux pas expliquer. Il n'y a rien à expliquer. J'écris cette phrase. Le docteur en répète les mots : « Le corps de Georgie contre le mien », avec sa voix calme et douce. Ces mots ne disent pas la sensation des larmes de ma sœur glissant dans mon cou. La sensation de son corps enchâssé dans le mien, au milieu des débris. Elle a cru me perdre à cause de l'arbre. Le docteur veut me détourner de mon devoir de mémoire envers Georgie. Il dit : « Comment vous sentez-vous aujourd'hui ? » J'écris : « Je suis sous l'arbre du jardin. » Il dit : « Non. Maintenant. Vous n'êtes pas sous l'arbre du jardin. Vous êtes ici, à l'hôpital. Que ressentez-vous ? » Je réponds : « La terre pèse sur moi. » Je ne veux pas expliquer. Il n'y a rien à expliquer. La parole fait tomber les arbres. La parole provoque la chute des choses.

❏

Le ciel est blanc. La scie tranche le tronc de l'arbre. Les hommes ont attaché des cordes aux branches. Ils donnent des coups de hache. Georgie regarde tristement la scène. Nous sommes muets tous les deux. Mère surveille le travail des hommes de la fenêtre de sa chambre. Le tracteur tente de déraciner la souche. Des branches partout jonchent le jardin. Georgie, droite comme un « i » au milieu du cataclysme. L'humidité de l'air colle sa robe à sa peau. Ses tresses se défont un peu. Elle a les genoux salis, encore. Les tracteurs tirent la souche. Elle finit par céder dans un grand craquement. Dessous il y a un trou. Georgie dit : « Je gage que tu serais pas capable d'y descendre. » Le ciel est blanc. Il n'y a plus d'ombre pour nous abriter. On ne distingue plus la profondeur. Le monde n'a plus que deux dimensions.

❏

Je me mets à suivre le rayon de soleil sur le plancher. Je le suis pas à pas. Au début, ce n'est qu'une flaque de lumière sur le mur. Puis la flaque se répand, s'amincit, s'étire jusqu'au sol. Je suis le rayon sans le quitter des yeux une seconde. Quand il disparaît, je relève la tête. Je suis devant une porte. Je l'ouvre. Je me retrouve dehors. Je marche dans la ville. Personne ne s'aperçoit que je suis un fugitif. Personne ne regarde mes yeux. Je marche. Je respire les odeurs. Je cherche les rues de Georgie. Les rues qu'on traverse tous les dimanches pour aller au port acheter des fruits et des légumes pour mère. C'est le meilleur moment de la semaine. Je cherche Georgie. Je suis sorti de la maison des fous pour la trouver. Je pense : « Je vais lui dire je suis guéri, le docteur m'a dit de partir te retrouver, de changer de maison, qu'il n'y a pas de place pour moi dans la maison des fous parce que je ne suis pas fou. » Je suis parfaitement lucide. J'ai toutes les phrases qu'il faut dans la tête, tous les mots. Je dois juste apprendre à ne pas crier quand tout devient lumineux. Quand je te retrouve dans une odeur. Quand la beauté du ciel m'entre toute dans la tête.

❑

Dehors, des petites filles dans leurs robes d'été, contre les murs des buildings. Une mosaïque de couleurs. Elles ramassent des cailloux bleus et les mettent dans des paniers posés à côté d'elles. Je marche vers elles, doucement. Quand je suis tout près, elles se figent. Puis elles m'explosent au visage. Je suis immense au milieu des débris. Non. Les femmes de verre, c'est dans les rêves qu'elles sont. Dans les rêves. Dans mon crâne. Georgie ne peut pas se briser puisqu'elle n'est pas faite de verre. Sa peau est chaude. Il faut que je fasse le silence dans mon crâne. Il faut que je retrouve la gare enfouie sous d'autres images. Il faut que je monte dans un train et que la ville fuie jusqu'à ce que la campagne de Tomasz arrive. Là, je saurai où la trouver : à la maison de Tomasz, là où les arbres respirent et où la lumière fait briller les pierres. Elle sera là. Elle dira mon nom. Tout reprendra sa place.

❑

Elle dit mon nom. J'accours vers elle. Le pain est chaud. Le vent rafraîchit mon front. Le fleuve frissonne, là-bas. Pendant un instant, la terre est ferme sous mes pieds. Tout est à sa place, solide, ancré. Je ne suis ni grand ni petit ni fou ni rien d'autre que moi avec Georgie, en vacances avec elle à la maison de l'écrivain qui partage son lit. On verse du vin dans les verres. On les entrechoque. On boit. Le silence dans moi est habité par les sons de l'extérieur. Le vide est plein du moment qui passe, des gestes de Georgie manipulant les assiettes et les verres, de ceux de Tomasz qui roule une cigarette, avec application. Tout est simple. La maison nous abrite tous les trois. La femme de lumière s'est évaporée. Le silence n'est plus vide. La barrière entre mon silence et l'extérieur s'est amincie. Elle n'a plus que l'épaisseur de ma peau. Les balançoires grincent dans le jardin. Ce son me rejoint ici, maintenant, dans la ville. Je l'entends. Il me fait mal dans la tête. Un mal fou ! Ces images sont le présent. Il me faut retourner dans le présent. Ma tête est pleine de morceaux de lumière que je dois recoller. Les plus gros éclats coupent le jour qui meurt derrière les buildings.

Le ciel tombe sur les édifices de béton. Les clochers des églises se redressent tant qu'ils peuvent pour crever le ciel. Il faut l'empêcher de descendre plus bas et d'étouffer les gens qui marchent comme moi, sans but, parce qu'ils ne savent pas où s'en est allé ce qu'ils cherchent. Ma sœur déambule peut-être aussi dans la ville. Elle a peut-être mis le pied dans cette flaque de ciel, juste là, entre les deux putains qui se tiennent au coin de la rue. Il faut que je reste debout, comme elles. Il faut que je résiste à la tentation de m'étendre. Et il ne faut pas que je crie. Sinon ils vont me chasser d'ici. Il ne faut pas que je crie. Sinon ils vont me ramener à la maison des fous. Je risque de me perdre davantage dans cette maison que si je déambule dans la ville toute la nuit. Je ne retournerai jamais là-bas... Des clochards se disputent les restes d'un sandwich trouvé dans les poubelles. Des chiens flairent des seringues abandonnées. Les drogués accroupis sont comme Georgie quand elle a froid. Je m'accroupis à leurs côtés. J'attends en regardant les flaques de ciel qui s'éteignent dans la boue. Une petite fille blonde, au visage mangé par l'indifférence de la ville, part avec un homme dans une voiture. Je suis un point dans la ville. La petite fille blonde est partie. Je suis seul où elle était il y a un instant.

❑

Le ciel est opaque. La lumière ne passe pas. La ruelle est engluée de nuit. Je pense : « Il faut que je me redresse. Je ne peux pas rester là. Il faut que je me rappelle notre adresse dans la ville. Un immeuble passé la ruelle des clochards. Tourner à droite et suivre l'odeur des frites du casse-croûte, puis l'odeur des poubelles. Puis suivre les cris des enfants dans la cour de l'école si nous sommes un jour de semaine. Nous sommes quel jour de quel mois aujourd'hui ? » Je pense : « Si Georgie vient me chercher dans la maison des fous, je ne serai pas là. Elle vient toujours me chercher. Elle s'inquiétera si elle vient. Les femmes blanches lui diront que je suis parti. Elle ne comprendra pas pourquoi je ne l'ai pas attendue. Elle ne saura pas que j'ai suivi le soleil pour qu'il me mène jusqu'à elle. »

❑

J'oublie pourquoi j'avance. J'oublie que je cherche Georgie. La ville me cerne et me prend. Seul ce que je vois pénètre mon esprit. Ce que je vois devient ce que je pense. J'oublie de fouiller les poubelles. Je ne ramasse plus d'objets. Les sons que je perçois prennent toute la place dans ma tête. Je suis là, entre les buildings de béton. Je marche. Je pense : « Cet enfant n'est pas heureux. Son père marche trop vite pour lui. Il n'a pas le temps de voir. Cette femme court retrouver son amant. Elle se sent coupable. Ce vieillard n'a parlé à personne depuis des mois. L'eau est sale dans le caniveau. » Ces images remplacent complètement celles de Georgie pendant un moment. Puis tout à coup le manque se fait net. Et me transperce le constat que, pendant quelques instants, j'ai vécu sans penser à Georgie. Cette pensée est pire – une vie possible sans elle ? – que l'état de manque dans lequel me plonge sa disparition. Je me frappe la tête souvent. Pour être sûr de ne pas oublier ce vers quoi je tends.

❑

Le ciel est de vitre. Il en tombe des éclats dans la rue. Georgie a les pieds nus. Elle court dans la rue en pleurant. J'ai peur qu'elle se coupe les pieds, qu'elle se mette à saigner et qu'elle perde tout son sang. Elle s'enfuit de chez mère. Mère lui crie de revenir. Elle me retient d'une main. Georgie, toute petite, s'en va. Elle reviendra. Elle est revenue, toute mouillée. Elle n'a plus pleuré ensuite. Mère a eu beau lui crier après et la gifler, Georgie n'a plus jamais pleuré devant elle. Les cheveux plaqués de Georgie sous la pluie, ses bras ballants, sa jupe rouge alourdie de pluie, longue, qui traîne au sol, son regard froid... la couleur de cette image me remplit d'effroi. Elle est si petite sous les étoffes détrempées. Je ne sais plus me souvenir d'elle dans la maison de Tomasz. Je ne sais plus bouger. Elle portait de longues jupes rouges qui balayaient le sol. Elle se battait avec mère. Elle était toujours en colère. Surtout quand on lui interdisait de grimper. Ou quand mère lui a dit qu'il était hors de question qu'elle suive des cours de parachutisme.

❑

Je retrouve l'appartement, en dépit de mes sens désorientés. J'arrive par hasard devant la petite porte verte du logement enfoui dans la terre. Je regarde à l'intérieur par la fenêtre située à la hauteur du trottoir. Il ne reste rien de nos meubles. Les pièces sont vides. Je veux ouvrir, mais je n'ai plus la clé. L'odeur de pain de la boulangerie voisine me dit que je suis arrivé chez nous, même si je n'ai pas de clé pour entrer. Je m'assois sur le trottoir. J'attends. Toujours Georgie délavée sous la pluie et mère qui n'ouvre pas tout de suite, qui la laisse là, à la porte, qui fait comme si elle ne la voyait pas. Un homme ouvre la porte du couloir de la boulangerie. Je m'y faufile. Le couloir donne sur la cour arrière. De là, je pourrai briser la fenêtre de ma chambre pour pénétrer à l'intérieur. C'est ce que je fais. Je n'ai même pas à briser la fenêtre. Je donne un coup sec. Elle s'ouvre. Une fois à l'intérieur, je me recroqueville sur le sol. Je m'endors. Dans mes rêves, il pleut. Au matin, je pense : « J'ai franchi une autre étape. J'ai un noyau à partir duquel sillonner la ville. J'ai un abri au cœur de la ville. Elle ne pourra m'envahir complètement. »

❑

Trouver comment me nourrir est le premier problème que je règle après avoir quitté l'hôpital. Le matin dans l'appartement, je décide : « Il faut au moins que j'avale un morceau de pain. » Je prends des pièces au fond de ma poche. C'était pour le café à l'hôpital. Je sors. J'entre dans la boulangerie d'à côté. Je montre un pain aux olives du doigt. Une jeune fille en rose m'en tend un enveloppé dans un papier de soie, mais seulement après que j'ai donné l'argent. Je fais peur. Mes mains tremblent. Je ne suis pas rasé. Puis je mange le pain, assis sur le parvis de l'église. J'avale tout sans respirer. Je regarde autour. Tout devient plus clair : l'herbe verte, le ciel blanc, les klaxons des voitures, les cris des enfants près de la fontaine. Tout devient clair et calme. Tout est si à sa place que je ne trouve pas ce qui peut manquer à cet instant ni ce qui peut me manquer, à moi.

❑

La faim devient l'unique préoccupation de mon esprit pendant un temps. Je n'ai pas encore trouvé Henri et ses sandwiches. Je découvre comment survivre dans la rue. J'affronte la ville. Je ne cesse pourtant pas de t'aimer pendant ces jours-là. J'oublie tout simplement de te chercher et pourquoi je me retrouve seul à déambuler dans la ville. Comme si te trouver avait moins d'importance que te chercher. Je ne sais même plus comment retourner à l'appartement. Je suis à l'affût du moindre reste de sandwich dans les poubelles, sous les bancs des parcs. Je marche la tête courbée. Je ne regarde même plus les passantes pour tenter de te reconnaître en elles. Les clochards, les chiens qui rôdent autour des poubelles, les odeurs et les bruits attirent davantage mon attention que la crainte de te croiser sans te voir. Tout m'envahit. Tout prend ta place. Je pourrais tuer pour un reste de pomme, un morceau de chocolat écrasé. La nuit précédant le jour des poubelles, c'est un festin. Je côtoie les va-nu-pieds. Je me bats pour un reste de poulet. Je vomis pour avoir avalé n'importe quoi. Je comprends rapidement que je dois trouver un moyen de me nourrir. Sinon la ville sera plus forte que moi.

❏

Pour au moins trouver la force de rester debout, je me mets à fréquenter le refuge où on sert de la soupe tous les midis. Je garde toujours une pomme et un petit pain pour le repas du soir. Je sillonne la ville en suivant une rue jusqu'au bout, puis la rue suivante, sans en oublier une seule. J'emprunte chaque rue, chaque ruelle. Je pense : « Il ne faudrait qu'une coïncidence pour que je te croise. » Je me fais du mal en imaginant que tu es peut-être à côté, pas loin, que tu remontes peut-être soudain la rue que je viens de quitter, que tu t'assois dans le parc où je me suis reposé un instant, que tu es passée à l'intersection où j'ai oublié de lever les yeux parce que je regardais les pavés et les pieds de tous les passants au lieu de leurs visages. Je pense : « Il est tout à fait inutile que je réfléchisse à ces choses. Je dois seulement continuer de sillonner la ville méthodiquement. »

❑

La ville tente de me donner des habitudes. Tous les matins, je fais un effort pour ne pas emprunter la rue principale, celle de tous les cafés et de toutes les boutiques que nous fréquentions. Je ne dois pas emprunter les rues des souvenirs. Les premiers jours, je l'ai fait. Mais j'ai senti rapidement que tu ne t'y trouvais pas. J'ai pensé : « Si tu n'habites plus notre logement, tu peux être n'importe où. » Les rues des souvenirs sont dans ma tête. Tous les jours, je choisis un quartier différent et je l'inscris dans mon carnet. Je m'y rends en empruntant un chemin différent de celui de la veille. De cette façon, j'ai l'impression de sillonner plus de terrain. Je sais bien que, logiquement, les chances de te retrouver en chair et en os sont minces. Mais te chercher fait venir les images. Le mouvement m'entraîne vers toi.

❑

Le ciel est fâché comme ce jour-là, au-dessus de nous, sur la grève. Mes mains goûtent la mer, sentent le vent. On ramasse des moules une par une pour les rejeter à l'eau. Je creuse du bout du pied dans les galets rouges. Le bout de mon espadrille est mouillé. Je suis là, avec toi au centre de moi, trop grand, trop fort et sans voix. J'écrase les coquilles des moules entre mes doigts. Soudain tu repars vers la maison. Je te suis. Tu entres et vas trouver Tomasz dans son bureau. Tu refermes la porte derrière toi et me revoilà seul au cœur de la maison qui respire. Le ciel fâché au-dessus de la maison lance de grands jets de lumière sur le fleuve. Je retourne sur la grève. Je ne sais plus, maintenant, ce qui vient après, si cette journée a eu lieu longtemps avant que je perde la mémoire, longtemps avant aujourd'hui. La ville ne me donne aucune réponse. Mais pour toi c'était « après ». Alors au fond, ça n'a pas d'importance.

❑

Il n'y a plus de ligne droite qui tienne. Tu n'as jamais supporté les lignes droites, jamais supporté l'ordre. Tu ne tiendrais pas deux jours dans un hôpital psychiatrique. Pour te trouver, je ne peux donc suivre aucune ligne droite. Je dois plutôt accomplir des cercles, les suivre en regardant le sol, faire comme si je ne te cherchais pas. Mais la vérité est que plus les jours passent, plus je suis mangé par la ville. Elle t'efface peu à peu. Elle est plus forte que ton souvenir. Ses bruits sont plus forts que ta voix dans ma tête. Tout ce que je vois m'avale. Je marche sans te chercher réellement. J'essaie seulement de retrouver un peu de toi dans ma mémoire. Car j'ai bien compris – il faut bien que je m'y fasse – tu n'es pas perdue dans la ville mais en moi. Voilà pourquoi je me suis arrêté ici, dans cette ruelle. Je dois me convaincre de la réalité, alors que mon instinct me dit que je me trompe. Je dois me faire violence contre tout ce qui bat en moi. Mon instinct me dit que tu ne peux pas disparaître alors que je sais bien que tu as disparu. Je n'ai plus d'instinct qui tienne quand il s'agit de toi. L'espoir est plus fort que la réalité. Mon instinct se moule à la forme de mon espoir.

❑

Je suis plus fort que la ville. Nous nous menons un combat sanglant. Elle fait disparaître tout ce qui est faible, alors je suis fort. Ma pensée enterre ses bruits. Je pense plus fort que son vacarme. Elle mange quiconque avance indifférent à lui-même. La conscience de tout est la seule façon de ne pas la laisser gagner. Déjà elle m'affecte un peu. Par moments, j'essaie de me rappeler ton visage et je n'y arrive pas. Je sais que tu étais belle. Je sais que ton rire me sciait le ventre. Je connais par cœur toutes les rues de la ville, mais j'oublie la couleur de tes yeux. La ville s'insinue en moi de force. Sa force est que, la plupart du temps, je ne m'aperçois même pas de ses assauts.

❑

Plus les jours passent, plus je deviens petit. Mes vêtements flottent sur mon corps. Mes souliers sont trop grands. Je pense : « Je retourne à l'enfance. Donc je progresse. Tout va bien. » D'ailleurs, des choses disparaissent tous les jours. D'autres réapparaissent. Par exemple, le café qui hier s'appelait *Le train* porte aujourd'hui le nom du *Bobon*, comme quand on y allait pour boire du café parce que faire l'amour avec ton artiste t'avait fatiguée… La conscience est la seule façon de lutter contre cet envahissement. Je suis conscient de chaque seconde qui s'écoule. Du matin jusqu'au soir, je suis entièrement en moi. Je suis conscient des battements de mon cœur. Je te pense consciemment. Je fouille mon cerveau comme si je grattais la terre. Je déterre des éclats de rire, fragiles comme ceux de ce matin-là au marché, en route vers le train. Je creuse. Je recrée. J'imprime. J'épingle ce que je retrouve sur le mur de mon cerveau. Quand j'en ai la force, j'écris dans un carnet. J'arrive à revoir le grain de ta peau dans la lumière du matin. Cette clarté m'aveugle.

❏

Je prends tes odeurs dans mes mains. Je les lèche comme un chien, avec de petits bruits de langue, jusqu'à te vider, jusqu'à t'avaler toute, jusqu'à ce que chacun de mes membres soit plein de toi. Je t'avale. Nous sommes dans le noir. Nous sommes à l'intérieur de moi. L'envers du monde est beaucoup plus chaud que l'endroit, bien que le soleil n'y brille jamais. Il n'y a pas de vent. Quand le vent ne souffle pas, tout s'arrête. Quand le vent ne souffle pas, je ne sais plus respirer, je ne sais plus voler, je ne vois pas ton visage dans ma tête, je ne vois rien. Tout est noir comme dans l'ombre sous l'arbre de la cour. Puis un coup de vent fait la lumière : mère n'a pas encore coupé les arbres, ma voix ne s'est pas encore tue, la ville est loin, nous n'avons jamais pris le train qui descend le fleuve jusqu'à la mer. Tout ça n'existe pas encore. Nous ne savons pas ce qu'il y a devant nous. Nous marchons sans nous méfier parce que tout est possible, encore.

Tout le monde me parle comme à un idiot. Pourtant je ne le suis pas. Je ne suis pas ce que les gens voient. Je ne suis pas fou. Henri, lui, me parle comme à un homme sensé. Il ne crie pas. Il n'attend pas de réponse de moi. Il me regarde dans les yeux. Il sait que je comprends. Je ne sais ni le jour ni l'heure de maintenant. Je sais seulement qu'Henri vient plusieurs nuits consécutives puis qu'arrive la nuit où il ne vient pas. Un matin, il m'a trouvé dans la ruelle, au pied de la porte de la chaufferie. Il m'a regardé. Il a dit : « Bonjour. Je m'appelle Henri. Je suis le gardien de l'immeuble. » Il ne m'a pas chassé. Il a compris que je ne voulais rien faire de mal, que je voulais seulement réfléchir. Je suis ici, dans la ville, derrière un édifice de briques brunes. Je suis en même temps dans la maison de Tomasz au milieu de la campagne qui bouge.

❏

J'entends tout, jusque très loin. J'entends jusqu'au village. Les gens parlent, rient, pleurent. Le vent fait craquer la maison et claquer la pluie sur le toit de tôle : un million de coups secs sur ma tête. La mer toute proche frappe les rochers. Le même son que lorsque Georgie étend sur la corde les draps mouillés, dehors. Au loin les chiens aboient. Les oiseaux chantent. Mais moi je bouge, j'ouvre la bouche et je ne produis aucun son. Je suis muet. Je frappe mes mains ensemble, elles ne font aucun bruit. Je tape sur ma tête et toujours rien. Georgie entre précipitamment dans la chambre. J'entends sa voix. Elle dit mon nom. Elle crie mon nom pour que les sons me reviennent. Je suis sans bruit. Elle crie. Elle crie jusqu'à ce que j'entende mes mains, qui-frappent-l'une-dans-l'autre. Elle m'étreint. La vie nous reprend. Elle m'a retenu de tomber dans l'ombre encore une fois. Ses cheveux dans mon visage. Comme le chuchotement de la neige sur la vitre. Dans le vent.

❑

La maison grise est le lieu de Georgie et Tomasz. J'y suis un invité logé et nourri. Ce n'est pas mon lieu. Le village est mon lieu. Le port, surtout. J'y vais le matin pour voir partir les pêcheurs. Je sors de la maison de bois vêtu d'un pull de laine et d'un pantalon de toile. Je cours chaque matin dans le froid. La vue du ciel, si grand au-dessus du géant que je suis, me coupe le souffle. Les maisons dansent devant mes yeux. J'évite de poser les pieds sur les ombres et les cicatrices du chemin. Le village s'anime. Quand un nuage arrive, les gens disent : « Tiens, le blizzard ! Il fera pas chaud aujourd'hui ! » Le blizzard est un grand rideau de brume qui flotte dans le ciel. Le blizzard est une froidure humide qui colle à la peau, qui tombe tout d'un coup, même dans le soleil. Dans le port, je m'assois à côté du gardien du chenal. Il ne me regarde jamais. Il sait que je suis là. Il me raconte ses pêches dans la tempête quand il était jeune. Il me raconte aussi sa femme Imelda, qui a disparu dans la mer. Ils partent tous très tôt dans leurs petits bateaux de pêche, les pêcheurs. « Des coquilles de noix », il dit, le gardien.

❑

Quand ils sont tous au loin, quand les bateaux ne sont plus que des points blancs à l'horizon, je m'en vais dans les rues du village. J'arrête au marché prendre du poisson, puis à la boulangerie prendre du pain. Je rentre en portant les courses pour Georgie. *On va prendre le train on va voir le fleuve ne marche pas dans les flaques d'eau.* J'arrive au moment où elle sort du lit. L'air frais s'engouffre en même temps que moi dans la maison. Je la regarde faire le thé puis couper le pain. Elle prend du beurre dans une petite jarre bleue tout ébréchée avec un couteau émoussé. Elle ne dit rien. Le ciel court au-dessus de nous. Ses gestes endormis sont pour moi. Sa présence est pour moi. Il n'y a pas de témoin. J'ai dans la tête les coquilles de noix qui flottent sur l'eau, toutes petites, secouées par le blizzard.

❑

Le vent arrache les feuilles des arbres. La pluie noie le jardin. Tomasz écrit, un livre ouvert devant lui. Dans le livre, un homme. On ne voit que la partie intacte de son corps : la face noircie qui regarde le ciel et le bras gauche. Son corps est de l'autre côté du mur, à l'intérieur de la cabane. Il est à l'intérieur avec les autres, emprisonné avec d'autres hommes. On les brûlait. Tomasz m'enlève le livre des mains et le replace dans l'étagère. Je sors dans la tempête. Georgie me rejoint, vêtue de son imperméable jaune. Elle me tend le mien. Elle dit : « C'est sa vie d'avant, son enfance, qu'il écrit. » L'enfance est le temps des arbres coupés et des gens qu'on emporte comme du bois mort pour les brûler.

❑

Je ne vois rien. Je n'entends pas leur souffle. Je suis moi en moi, plus grand qu'eux, plus grand que le village, regardant le fleuve par la fenêtre du salon. Je pense : « Le fleuve n'est pas entre eux. Il est là-bas. Il coule calmement. Ils ne s'aiment pas dans la chambre à côté. Le rire dans leurs yeux ne s'entend pas. Je ne l'imagine pas. Je n'ai pas ce pouvoir. Tomasz n'est qu'un homme parmi les autres. Il vole un peu de la chaleur de Georgie, mais il passera. Comme les autres. Sans briser Georgie. Sans altérer son odeur. Sans la faire vieillir. Ce n'est qu'une question de temps avant que le terrain se mette à bouger et qu'elle se torde une cheville dans une crevasse ou un trou, ou qu'elle glisse dans une ombre. Le temps avec Tomasz ne compte pas vraiment. Il ne laissera pas de trace. La terre se refermera sur les trous comme si rien n'avait jamais altéré l'uniformité du sol. Bientôt le sol se remettra à bouger sous les pieds de ma sœur. La maison de son amant ne sera pas assez forte pour la retenir. Elle se remettra en route. Je la suivrai. En attendant, cette pause ne me regarde pas. Elle ne m'atteint pas. Ce n'est qu'une question de temps. Il n'y a rien. Ils ne sont pas ici avec moi. Le ciel ne garde même pas la cicatrice des éclairs. »

❑

Georgie arrache d'un coup sec les ailes du papillon. Il n'y a pas de sang. La douleur est sèche. Je regarde le papillon figé dans la douleur. Je voudrais du regard recoller les ailes. Je voudrais que Georgie n'ait rien fait. Elle n'a rien fait. Elle ne fait rien dans la chambre à côté. Elle n'a pas le goût de Tomasz dans la bouche. Elle n'est pas belle pour lui. Elle pense à moi. Elle a besoin de moi. Je veille sur elle comme je l'ai promis. Je ferme les yeux à tout ça que je ne veux pas voir, pas entendre, pas deviner. Je veux la lumière de Georgie, être lumineux de sa lumière. Même si le papillon, sans ailes, ne peut plus s'en approcher.

❑

Je fracasse l'image du jardin contre le mur de mon cerveau. Georgie est une fée qui danse dans mon crâne; Tomasz, un pantin. Je suis plus fort que lui. Je peux le fracasser sur le mur lui aussi. Mais je le laisse intact. Il est l'homme de Georgie. Pour l'instant. Les arbres sont des brins d'herbe. Le fleuve est une flaque d'eau. Je n'ai qu'à faire un grand pas et je suis de l'autre côté, là où poussent les montagnes mauves. *On va voir le fleuve on va prendre le train ne marche pas dans les flaques d'eau.* Le village est miniature. Je ferme les yeux. Les yeux fermés, je suis encore plus grand. Georgie me parle. Je ne l'entends pas. Elle est trop petite. Sa voix ne fait pas plus de bruit que le couinement d'une souris. Je marche dans le village sans peur de tomber dans les ombres. Je tombe dans les ombres seulement quand je suis petit. Aujourd'hui je suis grand. Aujourd'hui je suis sans peur. Georgie m'a parlé à l'oreille ce matin. Son chuchotement m'a fait gonfler jusqu'à ce que je ne tienne plus dans la maison. Je suis sorti dans le jardin. Le vent m'a gonflé encore plus. Maintenant je vole au-dessus de tout ça comme un zeppelin. Je les vois en bas. Georgie crie pour me faire descendre. Je ne l'entends pas mais je sais qu'elle crie. Je vois son petit visage tout crispé, sa bouche ouverte. Comment faire pour redescendre quand dans ma tête Georgie a soufflé des mots tendres et que son visage rayonne comme une lune dans un ciel noir?

Je n'ai aucun désir. Je n'ai pas besoin des odeurs. Je suis sans besoin. Je n'ai pas envie de crier. Je n'ai pas envie de me lever ni de toucher quoi que ce soit pour différencier l'intérieur de l'extérieur. Cette distinction n'est plus utile. Peu importe que le monde soit à l'intérieur ou à l'extérieur de moi. Je suis moi en moi, sans personne autour pour crever la bulle qui me protège du rude. Les mots n'ont pas de pouvoir où je me tiens en ce moment. Je ne ressens rien. Je ne bouge pas. Si je tendais la main, je pourrais toucher tout ce que je possède. En ce moment, ce que je possède est ce que je veux posséder. Je suis là où je dois être, pétrifié. Sous moi le sol est ferme et lisse. Rien ne bouge dans cet édifice. Les bureaux sont fermés. Personne ne viendra m'embêter. Henri a laissé la porte ouverte pour que je puisse passer la nuit au sec. Dehors la pluie lave tout. Je ne suis pas fou. Je ne suis pas idiot. Je ne suis plus un enfant. Je ne suis plus un homme. Je suis moi en moi sans personne pour crever la bulle qui me protège du rude, là, maintenant. Tant que je ne bouge pas.

❏

Je finis toujours par bouger. Quand les vautours tournent trop bas, je bouge un bras. Je me retourne. Je me gratte le ventre. C'est plus fort que moi. Je pourrais pourtant rester immobile et les laisser approcher. Je pourrais les laisser faire leur sale besogne. Je serrerais les dents. Ils me donneraient des coups de bec. Je lutterais, mais sans vouloir gagner. Ils me déchiquetteraient. Je perdrais mon sang. Ils finiraient par me bouffer toute la chair avec des cris de contentement. Mais c'est plus fort que moi. Je me remets à bouger comme si j'avais quelque chose à faire. Je m'aperçois que j'ai faim ou soif. Que je dois vider ma vessie. Que je dois sortir pour trouver quelque chose à manger dans les poubelles. Les trêves ne durent pas longtemps. Le calme est soudain brisé par la pensée bien nette de Georgie. Le manque d'elle me réveille d'un coup bien senti. Je ne peux rester immobile avec cette douleur. J'essaie de replacer l'image de ma sœur au centre de mon champ de vision. Mon regard passe à travers elle comme à travers les femmes de verre.

❑

À quoi a pensé l'homme brûlé avant de rendre l'âme? À la femme qu'il aimait, sans doute… Le son des machines de la chaufferie m'aide à penser… Leur vibration me berce… La nuit, je ne dors pas… Comme Tomasz, pendant les grandes chaleurs… Dans la cave, il écrit. Puis, il déchire des feuilles. Il n'arrive pas à dire ce qui grouille en lui. Souvent il dit à Georgie: «J'ai le devoir d'écrire. J'ai le devoir de mémoire. Mais je ne veux pas me souvenir.» Il s'obstine, pourtant. La maison grise lui souffle des mots que j'entends, la nuit. Elle dit: «L'homme a pensé à une femme. À ses parents aussi. Puis il n'a plus pensé à rien. Il a juste voulu respirer. Il a lutté pour pouvoir respirer. Il a piétiné des corps. Il était parmi les plus forts. Il a gratté la terre avec frénésie. Il a sorti la tête. Il s'est tourné vers le ciel. Puis tout était fini.»

❑

Georgie, petite, regarde mourir les choses. Elle cesse d'arroser les plantes. Elle les regarde se dessécher. Elle met des mouches dans un bocal. Elle ne les nourrit pas. Elle guette le moment où elles se transformeront en petits morceaux de bois… Père s'est transformé en bois lui aussi. Il a pris la forme d'un grand cercueil fermé. Mère prie, les yeux fermés. Les gens parlent et rient autour comme si on était là pour quelqu'un d'autre qui n'est pas mort. Georgie reste là, debout dans sa petite robe grise. Elle porte de longues chaussettes blanches et des souliers à courroies, bleu foncé. Elle a les bras croisés. Elle regarde le cercueil. Elle ne pleure pas. Après les funérailles, elle se réfugie dans l'arbre du jardin. Elle scrute le ciel comme si elle s'attendait encore à voir père en redescendre lentement, protégé par un grand parachute vert.

❑

L'air est un tissu. Je peux le toucher. L'air dans lequel on vient d'entrer, Georgie et moi. Le village est fait de maisons blanches aux toits pentus. Dans la rue principale, des fleurs pendent aux lampadaires. La rue tombe dans le fleuve. Au bout, le port est là. L'humidité épaissit l'air. J'en vois les mailles. Je déchire les mailles en marchant. Georgie et moi comme dans la jungle. Nous fendons l'air de nos corps. Nous allons voir le cirque des gitans qui font de la musique pour danser. Le soleil se couche dans le fleuve. Je me souviens du soleil dans le fleuve. Le soleil se couche dans le fleuve et l'air se fend soudain d'un coup de vent frais. Sous mes pieds l'asphalte ondule. Les cheveux de Georgie dans le vent caressent mes bras nus. Ma tête explose sous la caresse des cheveux de Georgie. Les arbres frémissent au vent. Je retiens mon souffle. Tout est parfait. Tout s'efface. Mon cri fait vibrer les fils électriques qui zèbrent le ciel.

❑

Dans l'air immobile, les arbres restent courbés. Ils poussent ainsi, les branches tendues vers où souffle le vent. Ils ont une attitude de lutte même dans le calme. La chaleur fige tout. Les coqs se battent. Tout le monde rit. C'est la fête du cirque d'été. La chaleur attise la colère des coqs et la rage des hommes qui veulent du sang. Il y a des gitans partout autour des roulottes. Les femmes portent des jupes à godets comme Georgie en porte, longues, qui ondulent quand elles marchent. Elles portent des bijoux autour de leur cou, de leurs chevilles, les gitanes accroupies près du feu pour chauffer la soupe et le thé et nourrir les enfants libres qui jouent toute la journée. Elles ressemblent aux femmes de verre. Les coqs se battent. Leurs becs s'ouvrent. Les plumes volent. Georgie rit comme une folle dans le vent du soir. Les coqs sont enragés. Les hommes hurlent. Je pense : « Je dois les arrêter. » Georgie rit, accroupie avec les gitanes. Je ne la reconnais pas. Elle est redevenue une femme de verre. Elle va se briser. Les coqs vont marcher sur les éclats. Les hommes vont la piétiner. Ils vont l'attirer dans leur auto. Ils vont faire d'elle ce qu'ils veulent. Puis ils vont ouvrir la portière et la jeter sur le sol. Je ne pourrai pas recoller les morceaux. Il n'y aura plus que du sable qui coulera entre mes doigts comme ses larmes quand elle devient transparente, quand elle monte aux arbres ou sur le toit de la maison, quand il n'y a plus de vent.

❑

Avec les femmes du cirque, nous tournons autour du feu comme des fous dans le soir. J'y suis presque. J'arrive presque à goûter encore la saveur de l'air ce soir-là. On ne voit pas le fleuve. On l'entend. La danse rougit les joues de Georgie. Oui, c'est ça : les gens tapent dans leurs mains, Georgie est transformée en musique, ils l'ont envoûtée. Elle ne peut plus s'arrêter. Elle perd toute conscience d'elle-même. Elle tombe. Elle se relève. Les hommes rient, comme ils rient quand les coqs s'entaillent à coups de bec. Georgie tourne sur elle-même. Elle tombe. Elle se relève. La musique ne la lâche pas. Je la rejoins. Je prends sa main. Je la suis dans la musique, jusqu'à ne plus l'entendre. Il n'y a plus de musique. Tous les sons s'envolent. Il ne reste que Georgie et moi dans la ronde. Il n'y a plus que Georgie et moi, moi et Georgie, sa main chaude qui me tient fort pour que je ne m'envole pas avec les autres. Je reçois dans le visage sa longue chevelure. Sa jupe vole. Je vois ses jambes blanches et ses pieds sales. Je ne veux pas danser. Je ne veux pas qu'elle m'entraîne jusqu'au lever du soleil. Je ne veux pas lâcher sa main non plus. Il faut que ça dure toujours. Jusqu'à ce que tous les gens autour de nous soient partis dans la mort. Toujours il faut que ça dure. Je fracasserai sur le mur de mon cerveau tous ceux qui s'approcheront de nous pour interrompre la danse.

❏

Je retiens mon souffle et je regarde autour. Pour m'en souvenir plus tard. Je me retiens de respirer pour que les couleurs et les sons m'entrent tous dans la tête. Elle dit : « Retiens ton souffle et regarde, regarde mon visage. » Je vois son visage qui sourit. Je retiens mon souffle. Je ne respire pas. Je regarde autour. La maison de mère est hermétique. Ses yeux sont fermés depuis que père s'est volatilisé. Des enfants passent dans la rue. Les racines de l'arbre m'écorchent les cuisses. Je porte un short beige et Georgie une robe blanche, sans manches. Elle a deux longues nattes. La chaleur grésille. Elle dit : « Comme ça, on restera petits, on ne se laissera jamais. » Je fais semblant de ne pas respirer du tout. Sa peur signifie qu'il est possible qu'un jour nous nous perdions. Elle l'envisage donc. Alors je respire un peu, pour accuser le choc que me causent ses paroles. Dès qu'elle regarde ailleurs, je respire. Juste un peu, pour tenir. Elle ne s'en aperçoit pas. Elle pense que je suis le champion des reteneurs de souffle. Elle pense qu'on arrête le temps en retenant son souffle. J'explose.

❑

Je prends une immense respiration. Une respiration comme un siphon. J'aspire dans mes poumons ma sœur, ses nattes, son regard, l'arbre, la maison, la rue, les voitures, les fils électriques, le ciel, les nuages. Je me renverse dans l'herbe. Tout est en moi. Je crie de toutes mes forces jusqu'à ce que mère arrive et me rentre à la maison. Elle dit à Georgie : « Tu vois bien que tu le fatigues. » Georgie ne me fatigue pas. Ce sont toutes ces choses qui m'entrent dans la tête. Toutes ces choses qui nous appartiennent et qui grouillent. Le monde est trop grand pour ma tête. Comment peut-on garder tout à l'intérieur d'une si petite tête quand la lumière est si vive ?

❑

C'est le grand voile noir… Comme dans l'ombre sous l'arbre du jardin de mère… Je reste comme ça, immobile dans la noirceur de l'édifice, les yeux fermés dans la noirceur… Dès qu'on ouvre les yeux dans la noirceur, on a peur… Les yeux fermés, il suffit de penser à des choses douces et le noir n'a plus d'importance, ni la solitude… Il suffit de ne pas vouloir ouvrir les yeux… Il suffit de vouloir rester là, sans bouger… Dès qu'on veut ouvrir les yeux, dès qu'on veut bouger les bras ou les jambes, on s'aperçoit qu'on est prisonnier… La panique monte… Il n'y a plus d'air… Si on n'avait pas besoin d'air, tout serait bien dans le noir… On pourrait y rester longtemps sans bouger… Si on n'avait pas de désirs, il ne servirait même à rien de bouger… On se reposerait un peu, à l'abri… Mais il y a toujours ce besoin ou ce désir d'air… Et ce désir de bouger… Cet espoir…

❏

Je suis dans la ville. C'est l'hiver. Qu'est-ce qui nous est arrivé ? Je suis seul ici. Le temps a coulé. Le sol a roulé sous nos pas. Il nous a emportés dans des directions opposées. Il nous a dispersés contre notre gré. Forcément, c'est ce qui a dû se passer. Je ne vois pas d'autre explication au fait que je me retrouve ici, recroquevillé contre cette porte fermée, seul. Le périple a duré longtemps. Je me souviens des grandes chaleurs. Maintenant les grands froids approchent. Il n'y a plus de feuilles dans les arbres. Les couleurs de la ville ont pâli. Le temps a donc coulé. Entre l'été et cette ruelle, il y a un passage à la maison des fous. Je m'en souviens. Georgie n'est pas venue me voir. Mais maintenant, je ne suis plus attaché au lit de l'hôpital. Je suis seul dans la chaufferie de l'immeuble. Je peux sortir respirer dehors. Je peux bouger les bras. Il n'y a pas de camisole, ni de médicaments à avaler. L'air, autour de moi, sur moi, partout, est noir et lourd. Je peux le fendre.

❏

Nous nous enfonçons dans la ville. C'est le dimanche du marché. Nous allons plus loin que d'habitude. Georgie porte le sac de paille. Nous avançons vers le cœur de la ville où nous ne sommes jamais allés. La ville polluée est un immense territoire où nous évoluons avec ivresse, laissant loin derrière la maison de mère et l'arbre coupé. Le flot de la ville nous emporte. Nous enfilons une rue après l'autre, sans nous arrêter. Nous croisons des kiosques à journaux, des boutiques de fleuristes, des boulangeries, un accident de voiture. Plus nous nous enfonçons, plus je suis grand et la ville, petite. Georgie dit : « Il y a un cirque de l'autre côté de la ville. » Elle m'entraîne. Je veux retourner à la maison. Tout grouille autour de nous. Mes pieds ne touchent pas le sol de la ville, car Georgie me porte. Je veux rentrer. Je ne veux pas être là. Je veux rester avec elle. Je ne veux pas être là.

La ville est un fleuve. La ville charrie tout ce qui est fragile et petit. Les flots emportent des vieillards et des enfants, font tomber les esseulés, les fous, provoquent des accidents. Parfois le courant est violent. Je perds pied. Je m'agrippe aux lampadaires. J'attends que le niveau d'eau redescende. Quand tout est à nouveau solide sous mes pieds, je reprends ma route. Dans ces moments de déluge, je ne pense pas à Georgie. Seuls mes réflexes fonctionnent : garder la tête hors de l'eau, nager, trouver à quoi m'agripper. Ces inondations subites se produisent de plus en plus souvent. Je suis ballotté par des vagues de plus en plus hautes, emporté par des courants de plus en plus imprévisibles. Il y a quelques jours seulement, je les voyais venir. Je remarquais tout à coup que le niveau d'eau montait. Puis je voyais passer des objets légers, puis plus lourds, puis des gens. Alors je me préparais à la marée. Je montais sur un bac à ordures. Je regardais flotter et se débattre ceux qui n'avaient pas été assez rapides pour se mettre en sûreté. Maintenant, je n'arrive plus à prévoir. Tout à coup une vague fracassante se brise sur moi. J'arrive à peine à trouver une prise quelque part.

❏

Je n'ai pas envie de crier quand l'eau se retire. Georgie est là. Après les inondations, elle est là, avec son visage de lune et ses cheveux noirs. Cela me donne la force de m'agripper à chaque marée. Il serait pourtant plus facile de me laisser emporter. Je regarde mes mains crispées sur le poteau électrique. Je me dis : « Ouvre-les, déplie chaque doigt et tout est fini, le courant t'emporte. » Jamais mes mains ne m'obéissent. Je reste là, ballotté par le courant, les mains crispées, les jointures blanches. L'image de Georgie est encore la plus forte.

❑

Des gens se retournent sur mon passage. Au début je me disais que mon air perdu y était pour quelque chose. Il semble bien que non pourtant. Ils se retournent une fois que je suis derrière eux, brusquement, comme si je les avais appelés. Est-ce que je crie sans le savoir ? Ai-je recommencé à crier ? *Ne crie pas ne marche pas dans les flaques d'eau.* Georgie est là quand je m'y attends le moins. Encore un sale coup de la ville. Elle me veut vivant, c'est clair. Quand je suis sur le point de céder, elle relâche son emprise. Elle me laisse tranquille un temps. Tout s'immobilise. Je suis seul à bouger dans la ville. J'entends mes pas sur le pavé. Pour un peu je croirais que Georgie tient ma main, qu'on avance dans la ville, vers le port, vers les odeurs de l'homme du cirque... Je ne sais pas combien de temps s'est écoulé depuis que j'ai suivi le rayon de soleil sur le plancher de l'asile.

❑

J'ai trouvé un paletot dans les poubelles. Il a un col de fourrure et une doublure épaisse. Il sent les boules à mites. Mère met des boules à mites dans tous les coins de la maison. Georgie déteste cette odeur de mort. Elle fait brûler de l'encens tous les jours. Elle combat mère jusque dans ses odeurs. Tout ça défile sur le mur de mon crâne : le papillon sans ailes, les coqs du cirque, les femmes blanches et les femmes de vitre, les vagues sur les rochers, la pluie sur le toit, la chute sous l'arbre du jardin, les petites verrues rouges sur les feuilles de l'arbre, l'acrobate qui tombe, les rubans verts de Georgie, le parachute de père, le pont, les coquilles de noix sur l'eau, le gardien du port, le fleuve qui se brise en mille miettes… Ma tête, si lourde… il faudrait que je la dépose quelque part… que je marche dans la ville sans ma tête… Mais alors, qu'est-ce que je chercherais ?

❑

Des oiseaux volent dans le brouhaha et se frappent dans les fenêtres des buildings. Des mouettes loin du port, dans les rues, partout… Leurs cris m'assourdissent la pensée. Une chaleur que je reconnais même dans l'hiver m'inonde. Pourtant, les marées sont de plus en plus glaciales. Il m'arrive de les confondre avec le vent qui s'engouffre entre les buildings. Mon paletot ne suffit pas. Le froid brûle. La peau de mon visage pèle. Mes mains s'engourdissent. Pourtant, je me souviens de la canicule. Je garde les mains au fond de mes poches. Les gerçures craquent quand je serre les poings. Je ne dois pas serrer les poings. Des mouettes tombent mortes à mes pieds. Je les enjambe. Parfois je ne les vois pas. Je bute contre leur corps raidi. Elles sont aussi blanches que la neige qui s'accumule dans la ville. Elles sont égarées. Elles ne devraient pas être ici. Elles devraient avoir migré vers le Sud. La ville les retient prisonnières. Il n'y a pas d'autre raison à leur mort. Après avoir dormi dans les bras de la gitane, Georgie s'est levée… Elle a suivi l'aube… elle est retournée chez Tomasz…

❑

Les maisons sont délavées à la hauteur des rez-de-chaussée. Seuls les édifices de la haute ville conservent leurs couleurs d'origine. Je me réfugie là où la couleur éclate. Je regarde les montagnes de l'autre côté du fleuve. Les terres sont rousses. Les arbres sont roux. Dans ma tête : la ville de Georgie et moi, la ville du cirque, la ville du train et des marchés. Dans une rue, Georgie court vers le cirque. Là-bas, elle admire les vitrines. Dans ce parc, elle regarde les enfants jouer. L'homme brûlé a regardé le ciel en mourant. Il voulait seulement regarder le ciel. Parce qu'avant la cabane, il y a eu les trains, le voyage en train vers les camps de travail, dans la puanteur. Son âme s'est recroquevillée… Puis il y a eu le sentier, la nuit, avec les chiens qui aboient. Puis les baraquements. Puis le camion étouffant. Il n'a pas relevé les yeux pendant des jours… Dans la cabane, il a creusé la terre avec ses mains. Il a pu passer sa tête et un bras de l'autre côté du mur. Il a relevé les yeux. Le soleil n'était plus dans le ciel. Il avait éclaté. Les feuilles des arbres étaient des parcelles de soleil. Comme avant les ombres… avant le jour et la nuit… avant le monde…

❑

J'ai les doigts en sang. Je gratte et effrite les murs de la ville. J'arrache tout ce qui est friable. Je détache des plaques de ciment des murs des maisons. Je déplace les pavés mal assemblés. J'arrache les volets des fenêtres. Je gratte la peinture partout où elle s'écaille. C'est un juste retour des choses. Avec les marées, ce n'est pas difficile. Il y a toujours un peu d'eau partout, maintenant. La ville est double. Je marche dans le vide. J'ai les pieds mouillés. Je compte mes pas comme a dû compter les siens l'homme brûlé en route vers les baraquements. Je compte mes pas. Je fais des cercles. Je ne dois pas m'habituer à la tranquillité de ton absence.

❑

La ville est aussi froide maintenant que la chaleur est chaude ce soir-là, autour du feu. Après la danse, une gitane au visage plissé enveloppe Georgie dans une couverture. Elle la blottit contre elle. Elle la berce doucement. Georgie se laisse faire. Elle regarde le feu sans rien dire. La nuit dure éternellement. Puis, l'aube réchauffe l'air et ramène les effluves des incendies de forêt qui font rage plus au nord. La jupe de Georgie est tachée. Elle a de la terre dans les cheveux. Elle se relève pour aller uriner derrière un arbre. Elle revient se blottir contre la gitane. J'attends à côté d'elles. Là, maintenant, encore, dans la chaufferie de l'immeuble, je retrouve le sentiment de Georgie en moi et de moi dans le monde.

Tu as dit : « Descends dans le trou. » C'est noir dans le trou. Il y a des insectes et des vers. C'est sale. Tu dis : « Je te déteste. » Tu me laisses là. Tu t'en vas. Je ne veux pas le faire. Je descends dans le trou. Je ne veux pas y aller. Tu vas me trouver là. Tu seras fière de me trouver là. Tu diras : « Tu es fort. » Alors je descends. La terre entre dans mes chaussures. Je me tiens aux racines souterraines, aux pierres. Je glisse. Je tombe au fond. Je m'étends dans le trou juste assez grand pour moi. C'est chaud et tranquille. Je vois le ciel, loin au-dessus. Les nuages courent. J'attends que tu te souviennes de moi, que tu me cherches et que tu me trouves. Je connais le jeu. C'est toujours comme cela que les choses se passent. Il ne sert à rien de te bousculer. Je me repose de toi. Je m'endors.

❑

La terre tombe sur moi. Toute la terre d'un coup. Je ne peux plus respirer. Je mange de la terre. J'étouffe. Les tracteurs m'enterrent. Puis plus rien… Pendant longtemps plus rien… Puis des mains qui me tirent, qui me soulèvent, qui m'arrachent aux ténèbres. Parmi ces mains, tes mains pleines de terre que tu plaques sur ton visage en larmes. Tu m'as déterré avec les hommes. Je ne sais plus parler… Il y a de la terre dans mes poumons… Mère me dit de cracher, de respirer, elle me serre dans ses bras, elle nettoie de ses mains mon visage, elle m'installe dans une chaise longue et pose une compresse d'eau fraîche sur mon front. Tu t'allonges à mes côtés. Mère engueule les hommes. Elle leur dit de boucher le trou au plus vite, de remballer leurs affaires et de déguerpir. Elle les surveille de près, revient me serrer contre elle, puis retourne les surveiller. Tu pleures contre mon visage. Toute cette eau salée qui sort de tes yeux m'entre dans la bouche et se mélange à la terre. Comment se fait-il que tu ne viennes pas me chercher ici dans la ville qui m'enterre peu à peu ?

❑

Henri m'a donné une voiturette basse. Il a dit : « Comme ça tu pourras mettre tes objets dedans. » J'ai des objets plein les poches. J'en ai aussi dans un grand sac de papier brun. Mais avec la voiturette d'Henri, je peux accumuler plus d'objets. Je la traîne partout. Le grincement des roues me distrait des bruits de la ville. Dedans, je mets aussi les débris que je ramasse dans les ruelles. Des morceaux de lampes brisées, des roulettes cassées, des vis, des bouteilles vides, des bouts de ficelle. C'est pour empêcher les images de s'envoler. Les images ne pèsent pas lourd. Sous la boîte de carton, il y a Georgie dans les bras de Tomasz. Ils dansent dans le matin. Il n'y a pas de musique. Ils se tiennent serrés. *On va voir le fleuve on va prendre le train ne marche pas dans les flaques d'eau.* Sous la bouteille bleue, tu regardes le fleuve. Tu es sur les rochers. Tu as chaud. Ta robe est trempée. Tes bras sont nus. Tu as ramené tes cheveux à l'arrière en une grosse natte emmêlée. Sous ce clou, tu te tiens la tête. Sous le carton de cigarettes, tu fais ta valise. Tu es toute là dans ces miettes qui s'entrechoquent. Il me suffit de regarder les objets pour te voir t'animer.

❑

Certains soirs, la ruelle se remplit de sacs à ordures. Les gens sortent leurs vieux meubles dans les rues, leurs fauteuils crevés, leurs matelas éventrés. Le jour des éboueurs revient toujours. Et il y a chaque fois autant d'objets à emporter pour les camions. Dans la nuit, je passe en revue tous les objets, tous les sacs de la ruelle. Je dois tout examiner parce qu'au matin les camions les emporteront. Je trie ce qui me donne des souvenirs. Je fais de mon mieux. Mais la tâche est irréalisable. La plus grande difficulté, ce sont les autres collectionneurs d'objets. Je ne suis pas le seul à chercher des éclats dans la poussière. J'ai trouvé une valise. J'y ai placé tous mes objets. Comme ça, au moins, ils ne tombent plus. Je me couche dessus pour dormir. Quand je me réveille, je garde les yeux fermés. Je reste là, avec les morceaux de Georgie.

❑

Je me suis battu. L'homme ne voulait pas me donner la bouteille de vin. Cette bouteille cache une image de Georgie sur le pont. « À moi », il disait. Il se trompait. C'était ma bouteille. Je lui ai crié avec des gestes qu'il se trompait. Il a refusé de me la laisser. Il tirait la bouteille à lui. Je l'ai frappé. Je lui ai cassé la bouteille sur la tête. Le sang a coulé dans son visage. Il s'est écroulé. L'image de Georgie en mille miettes dans la saleté de la ruelle. J'ai ramassé tous les éclats. Je suis resté à cet endroit jusqu'au matin pour être sûr de les avoir tous ramassés. Puis je me suis caché dans l'immeuble. Les éboueurs ont commencé à enlever les ordures. Ils ont emporté tous les sacs. Ils ont vidé les conteneurs. Ils ont trouvé l'homme, derrière les conteneurs. Les policiers sont venus, puis les ambulanciers. Je suis resté caché dans la chaufferie. Je n'ai pas crié. J'ai verrouillé la porte de l'intérieur. Ils ne se sont pas donné la peine d'appeler le gardien. Pour un clochard, on ne fait pas tant d'efforts. J'ai mis tous les morceaux de vitre dans la boîte de carton. À l'abri dans la chaufferie, j'ai reconstitué Georgie comme je reconstitue les femmes de verre. En ramassant les morceaux sans les recoller.

Je ferme les yeux. Je n'ai pas peur. Je suis grand et je n'ai pas peur. Je n'ai pas peur dans le noir. La lumière me fait peur… La lumière me rapetisse… Pas la noirceur. Je suis bien dans le trou sous l'arbre. C'est chaud tout autour. Il n'y a pas de vide, pas de place pour le vide : je suis entouré. Les bruits me parviennent étouffés. Je n'ai plus mal aux oreilles. Je n'ai plus mal aux yeux. Je deviens une racine d'arbre. Mes bras s'allongent… Mes jambes s'allongent… Je me déploie… Soudain, des mains me tirent de la terre. Elles m'arrachent à la noirceur, me ramènent à la lumière, me ramènent là où il y a trop d'air pour mes poumons, trop de lumière pour mes yeux, trop de bruit pour mes oreilles, là où je ne peux pas être ! Il fait froid.

❏

La ville me laisse tranquille tant que je n'ouvre pas les yeux. Elle ne me voit pas tant que je n'ouvre pas les yeux. Elle s'occupe des autres. Je n'ai pas besoin d'exister. Je n'ai pas à faire de gestes, à avancer, à m'occuper, à participer au grouillement du monde, à mêler mon odeur à celle des gens, à tenter d'entendre ma voix dans le vacarme. Je reste là, sur ma valise, dans la chaufferie de l'immeuble. Puis je pense : « Henri va arriver. Il aura des problèmes si on me trouve là en plein jour. Il perdra peut-être son travail. Sa femme sera malheureuse. » Alors je me lève. Je rassemble mes affaires. Je sors dans le matin. J'accuse le choc du froid dans les os. Je m'accroupis. Je m'acclimate à la violence du dehors. Un à un, les sons me reprennent. Une à une, les couleurs. Je lutte pour ne pas refermer les yeux. Je voudrais retourner à l'intérieur de l'immeuble et rester couché sur la valise toute la journée. Mais je ne peux pas faire ça à Henri. Je pense : « Je dois avancer. » Je me déplie. Je me mets debout. J'avance en tirant mon chariot. Mon esprit reste sur la valise, en miettes parmi les miettes de vie qui y sont entassées.

❑

Mes pensées sont de plus en plus brèves. Je n'ai plus aucun sens de l'orientation. Je ne sais plus où le fleuve se situe par rapport à moi. J'arpente la ruelle. Les femmes de verre grelottent sur place. Elles portent des souliers à talons aiguilles, des bas à jarretelles et des jupes très courtes. Leur seule protection contre le froid est un petit manteau court en peluche ou une grosse veste de sport. Leur visage est ravagé. Elles se crient des insultes quand l'une d'elles part en voiture avec un client. C'est la rousse qui avait le plus de succès. C'est elle qui se faisait battre le plus souvent par les autres. Elle était plus jeune. L'autre jour, elle pleurait derrière un conteneur. Elle tremblait. Elle vomissait. Ensuite, la ville l'a avalée. Le calme est revenu dans la ruelle. Certains jours je me demande si je suis dans la même ruelle que la veille. J'attends. Henri finit par apparaître. Il vient ouvrir la porte. Il laisse du café et un sac de nourriture. Alors je sais que je suis là, quelque part, puisque je fais partie de la vie de quelqu'un. La ville ne m'a pas complètement rayé de la carte. Je suis un tout petit morceau de la vie d'un gardien d'immeuble qui s'appelle Henri. Seulement pour cela, je lui dois la vie. Il s'en doute peut-être. Peut-être même se sent-il responsable de moi. Peut-être pas. Le résultat est que je me lève tous les matins et que je sors dans la vie seulement parce qu'il est là.

❏

Je suis sur le toit d'un immeuble. Je vois le fleuve, au loin. Il fume dans le froid. Savoir où il se situe par rapport à moi me suffit pour m'orienter. Je suis au nord du fleuve. Au nord du port. Je ne suis pas perdu après tout. Je suis au nord de l'autoroute qui traverse la ville. Il me suffirait de marcher vers le sud pour retrouver le fleuve et le marché où tu tiens ma main pour ne pas me perdre. Sous un escalier de secours en métal, il y a un porche où je m'abrite des regards. Il est dissimulé par des conteneurs à déchets. Il me donne un semblant d'intimité. C'est là que je dors quand Henri ne vient pas ouvrir la porte. Personne ne me voit. Je me cache dès que quelqu'un se pointe.

❏

Le choc arrive avant la pensée. Dans la poitrine, dans les bras, j'accuse le coup. Puis je me souviens. C'est toujours dans cet ordre. Au réveil, mon corps se souvient avant mon esprit que tu n'es pas là. Je pourrais toujours contrôler ma pensée. Je pourrais arriver à me programmer pour éviter les pensées qui font mal. Mais je ne sais pas comment maîtriser ce qui vient avant la pensée. Je commence à envisager la possibilité de ne jamais te retrouver. Dès que je pense à cela, je garde les yeux ouverts. Je regarde tout ce qui m'entoure et que je peux toucher. Je pense: « Il y a le ciel. » Je retiens mon souffle. Je compte tout ce qu'il y a devant moi. Les fenêtres des édifices. Les escaliers. Les lattes des clôtures. Je compte le nombre de conteneurs à déchets, le nombre de divisions sur ces conteneurs. Le nombre d'édifices, le nombre de portes, les fissures de l'asphalte. Jusqu'à ce que je ne puisse plus retenir mon souffle. Ensuite je m'assois par terre. Je vois des taches noires. Je laisse le tumulte s'apaiser. Je peux faire ce manège des dizaines de fois avant de me calmer. Si la douleur l'emporte, c'est que tu es vraiment perdue. Alors elle ne l'emportera pas.

❏

Puis je me souviens que tu es là. Tu es partout. Je me suis trompé. J'ai cru que je t'avais perdue. J'ai cru que je t'oubliais. Je peux me rendre au marché et tu es là. Tu tiens ma main pour ne pas me perdre. Je peux me rendre à l'appartement sous la terre et tu es là. Je peux marcher jusqu'au quartier que nous habitons avec mère et te trouver, perchée dans un arbre. Je suis grand et petit, enfant et adulte, fou et raisonnable à la fois. Je peux marcher jusqu'au jardin de notre enfance, c'est le jour où les tracteurs déracinent le saule. Je peux aller au cirque, tu fais l'amour avec l'acrobate, dans sa roulotte. Je peux prendre le train et remonter le fleuve jusqu'à la mer, tu es dans la maison grise de Tomasz, ou assise dans le jardin qui respire. Je peux même retrouver le gardien du port qui me dit: « Depuis qu'Imelda a disparu, je suis trop vieux pour prendre la mer », puis courir chercher le pain pour toi. Et te retrouver ensuite, dans le petit matin, tout échevelée de sommeil. Tu es partout.

❏

Le soir du cirque, un homme t'attire à lui. Il t'embrasse sur la bouche. Il te tient serré. Vous dansez, lentement. Il n'y a plus de musique. Vous dansez encore. Tu es toute petite contre lui. Vous dansez pendant des heures. Vous vous embrassez pendant des heures. Vous allez derrière les buissons. Il t'écrase contre un arbre géant. Tu écartes les cuisses. Il te prend comme l'artiste du cirque d'autrefois: d'un coup sec. Il te prend et te reprend, brutalement. Il te dit: « Tu es belle, tu es belle... » Tu t'agrippes à lui. Tu retrouves ce que tu as perdu qui s'engouffrait dans tes cuisses, comme la vie s'engouffre dans mes poumons par moments, dans ma tête, dans mon ventre, dans mes mains. Tu pleures. Tu trembles. Tu lui murmures des choses à l'oreille. Je vois tes cuisses blanches écartées par lui, pour lui, ta jupe relevée, tes seins dénudés. Il te retourne contre l'arbre. Il te prend comme ça. Je m'approche un peu. Je vois couler des larmes sur tes joues, qui glissent dans ton cou, ta gorge, entre tes seins. Il te cloue à l'arbre. Tu te fonds dans l'arbre. Tu l'embrasses de tes bras. Tu exploses. Je veux que ça continue, qu'il continue de te clouer à l'arbre. Il n'y a plus rien autour pour toi, je le sais, je le vois. Il t'embrasse longuement. Puis il te quitte. Il te laisse là et repart vers la fête. Il n'est plus là. Tu te désarticules. Tu te recroquevilles. Tu tombes, tu tombes de si haut... tu ne peux que te briser. Tu t'accroupis en pleurant au pied de l'arbre. Tu restes là, comme ça, la jupe relevée, pleurant silencieusement, puis tu retournes près du feu. Une vieille dame te tend une couverture. Elle t'enveloppe dedans. Tu t'allonges près d'elle. Tu poses ta tête sur ses cuisses. Tu fermes les yeux. Tu es recroquevillée contre la vieille femme. Tu ne me vois pas. Je ne suis plus là pour toi. Les larmes creusent des sillons sur ton visage, comme si tu étais vieille.

❑

J'entre dans la fissure. Celle qui traverse la ruelle en face du jardin clôturé. Je suis assez petit pour m'y glisser. Je foule un monde fait de pierres, de sable, d'humidité et de terre. J'avance. Je longe les sinuosités du terrain. Il n'y a pas de buildings ni de rues. Seulement des chemins de traverse. Mais je reste dans la fissure principale. Je tends les bras et j'en touche les murs. Je suis en sécurité. Ils sont durs sous mes mains. Ils sont rugueux. Je ne peux pas tomber. Il y a suffisamment d'espace pour moi, mais s'il y a une marée, je serai submergé d'un coup, c'est sûr, je suis si petit. Je dois avancer jusqu'au bout de la fissure. Il y a peut-être le fleuve, au bout de la fissure, puis le train qui mène à la maison de Tomasz ? J'avance en enjambant les cailloux. De grosses fourmis traversent devant moi. J'avance, vers le fleuve, vers le train, vers la maison de campagne. Ta main dans ma main est chaude. Les bruits du marché me transpercent le crâne. J'ai soif. Tu me donnes à boire à l'hôpital. La première fois que je suis à l'hôpital, tu me donnes de l'eau à boire. Elle n'est pas tiède. Elle est vive et fraîche. Tu poses ta main sur mon front. Tes cheveux dans mon visage, quand tu m'embrasses, me voilent la lumière. Tu repars. Je reste là. Je dors pendant des jours. Quand j'ouvre les yeux, tu es toujours là à me tendre de l'eau. Tes cheveux en chignon me laissent voir ton visage, ton beau visage de lune, la ligne de ta mâchoire. Tu as les traits tirés et de grands cernes sous les yeux. Au bout de la fissure, tu es là, sur le pont. Des gens autour te regardent.

Il n'y a plus de marées. Tout est de glace autour. Elles reviendront avec la fonte des neiges. Je ne trouve plus d'oiseaux morts. Il fait un froid à pierre fendre. Je reste la plupart du temps dans l'entrée de la chaufferie. La porte n'est plus jamais fermée. Henri m'a dit : « Tu peux rester là la nuit, mais le jour, tu déguerpis, je veux pas te voir. » Il est énorme et sa voix est un grondement. Il m'a dit : « C'est ma femme qui fait les sandwiches et le café pour toi. » Un jour, j'ai trouvé des mitaines et une écharpe de laine. J'en déduis que c'est sa femme aussi qui fabrique ça. Il m'a dit : « Pourquoi tu vas pas au refuge ? Ils s'occuperont de toi là-bas. » J'ai fait non de la tête. C'est ma ruelle, ma fissure. J'ai montré du doigt ma poitrine. J'ai montré les édifices autour, le ciel. Je sais où est le fleuve par rapport à moi. Personne ne m'embête et je n'embête personne. Il a secoué la tête. Il a dit : « À la fonte des neiges, tu pourras plus faire ça, faudra que tu trouves où aller sinon ils vont appeler la police. » « Très bien, je pense. J'ai jusqu'à la fonte des neiges, ensuite j'aurai disparu. » Pour l'instant, je suis dans l'hiver, tout petit au creux de ma fissure. Les vents passent au-dessus. Je touche les objets dans mon chariot. Georgie éclate de rire.

❑

Elle marche entre les flaques de ciel. Elle nourrit les clochards. Elle leur donne des pièces. Mère dit : « Ils vont boire l'argent, ça ne sert à rien de leur en donner. » Mais

Georgie leur en donne quand même. Elle leur sourit. Ils prennent sa chaleur à moi avec leurs yeux. Ils échappent l'argent dans l'eau, mais ils gardent son sourire au fond des yeux, emprisonné derrière leurs paupières. Ce sont des voleurs. Peut-être qu'elle va passer par ici. Elle viendra ici par hasard pour donner des sous aux clochards. Elle me reconnaîtra. Elle ne croira pas que je suis un clochard. Elle ne croira pas à ma déchéance. La pire chose qui puisse arriver, c'est qu'elle croie à ma déchéance. Elle n'a jamais voulu croire à mon silence. Si elle ne voyait pas l'échec des clochards, c'est qu'elle pouvait lire en eux. Elle me tendra donc la main.

❑

Elle tombe entre les buildings, entre les rives, dans le creux des nuages. Elle disparaît. Elle part à la dérive. Les clochards restent là avec la chaleur qu'ils lui ont volée, sa chaleur à moi dans leurs yeux. Elle se laisse faire. Je dois chasser les autres clochards, les autres vagabonds, les chasser de ma ruelle à moi, ici, pour attendre la fonte des neiges. Je serai emporté par la fonte des neiges. Ce sera la pire des marées. Je glisserai jusque dans les égouts et tout sera enfin fini. Ma ruelle est une fissure de la ville, étroite, oubliée, derrière les restaurants de la rue mal famée, la rue que mère ne veut pas qu'on fréquente. Mais on y revient souvent. Georgie veut voir, alors on vient voir les femmes de verre, toutes fardées, maigres et colorées, avec la lumière qui traverse leurs corps et se diffuse sur les murs, le long de la rue où elles se tiennent, tous les dimanches. À elles aussi Georgie donne de l'argent. Je les emporte dans ma tête après, les femmes de verre. Parfois elles sont toutes cassées. On retrouve un soulier, un sac. Leurs morceaux sont ramassés par les éboueurs. Je ne peux pas les recoller.

Georgie tombe… Je la vois tomber, sans fin, entre les buildings, au creux d'une flaque de ciel. Je tends la main, mais je ne peux pas l'atteindre. Ses cheveux glissent de ma main. Elle tombe longtemps, elle tombe depuis qu'est tombé l'arbre. Je ne suis pas là pour la rattraper.

❑

Tu grimpes dans le saule tous les jours depuis que père est mort. Je grimpe avec toi. Je me colle au tronc. Je progresse lentement. Je m'égratigne les jambes, les bras. Tu ne fais pas attention. Tu grimpes trop vite. Tu portes des sandales glissantes, blanches. Une robe blanche avec des fleurs rouges. Tes cheveux tombent sur ton visage. Ensuite tu t'assois sur une branche. Tu regardes au loin. Moi je reste un peu plus bas. Je serre le tronc de près. Je suis paralysé. Tu dis : « Viens voir, on voit loin, monte ici. » Je ne peux pas. Tu es à califourchon sur une branche qui ploie sous ton poids. Tu ne te tiens pas bien. Tu restes là pendant des heures. Jusqu'à ce que mère te crie de descendre. Alors tu finis par descendre. N'importe comment. Trop vite. Tu sautes. Dès que tu te crois assez près du sol, tu sautes. Une fois tu te tords la cheville. Une autre fois, tu tombes sur les genoux et tu saignes. Chaque fois, mère entre dans une colère terrible. Vous vous battez. Elle dit : « Vous voulez donc tous me quitter et me rendre folle ? » C'est pour cette raison qu'elle finit par faire venir les tracteurs. Parce que tu ne sais pas mesurer la distance qui te sépare du sol.

❑

La ville fume : les cheminées, les voitures, les gens, le fleuve, là-bas, aussi. Le froid l'a prise par surprise. Je suis caché dans la chaufferie de l'immeuble avec un thermos de café chaud. Je laisse le monde se fracasser dehors. Je suis ici et je ne bouge pas. À la maison de Tomasz, le sol se met à emporter Georgie. Je m'en aperçois au moment même où cela se produit. Un jour, elle se tord la cheville en entrant au restaurant qui sent le poisson frit. Un instant elle rit en solidifiant son chignon, belle dans sa robe d'été à bretelles, l'instant d'après elle tombe. Tomasz tend le bras pour la soutenir. Elle ne veut pas de son bras. Elle le rejette. Il ne comprend rien. Il lui frotte la cheville, lui remet sa sandale. Il dit: « Ce n'est rien… » Le monde s'est mis à bouger sous les pieds de Georgie et il dit: « Ce n'est rien. » Elle essuie une larme. Les clients du restaurant nous regardent. La serveuse nous demande si tout va bien. On sort du restaurant. On se retrouve dans la rue. On marche vers la voiture. Tout se lézarde. Tomasz est fâché. Il se tait. Un torrent jaillit des yeux de Georgie. On retourne à la maison, misérables dans le crépuscule qui tombe. Tomasz s'enferme dans son bureau. Georgie va s'asseoir dans le jardin. Elle s'agrippe aux montants de la balançoire. Le décor, autour de nous, a changé.

❑

Elle porte une jupe rouge en skaï. Des bas résille mauves. Un bustier noir, à dentelle. Son visage est maquillé. Elle s'est parfumée. Ses jambes maigres me fascinent. Elle a enfilé des souliers à talons aiguilles. Elle tient à peine debout. Elle se transforme en femme de verre et je n'aime pas ça. Elle donne sa chaleur à moi aux hommes voleurs. Une fois par semaine, elle se rend dans la ruelle. Elle l'a décidé. L'argent qu'elle gagne à la bibliothèque municipale n'est pas suffisant. La lumière passe à travers son corps et se réfléchit sur le mur de brique derrière elle. Elle est toute petite. Elle attend les hommes. Ils arrivent.

Elle monte dans une voiture. Je l'attends. Elle revient au bout de quinze minutes, parfois au bout d'une heure. Je suis là pour la protéger des autres filles. Elle fait un ou deux tours de voiture. Ensuite on retourne à l'appartement dans la terre. Il n'y a plus d'éclat dans ses yeux. Son rire est vide. Toutes les fois, elle dit : « Allons à l'observatoire, avant de rentrer. » C'est pour nous qu'elle se transforme en femme de verre un jour par semaine. Elle dit : « Avec cet argent, nous achèterons une maison entourée d'arbres. »

❑

Tout a commencé avec les arbres. D'abord le saule qu'on a coupé, à cause des petites verrues rouges sur les feuilles. C'est la raison officielle que mère a donnée à la Ville pour obtenir l'autorisation de l'abattre. Mais c'est parce que Georgie n'arrêtait pas d'y grimper et qu'elle en était tombée maintes fois. Puis il y a eu l'érable argenté qui poussait de l'autre côté de la maison, juste devant la fenêtre de la chambre de Georgie. Celui-là aussi on l'a coupé. Sous prétexte que ses racines allaient endommager les fondations de la maison. De celui-là aussi Georgie tombait de temps à autre. Ensuite il y a eu le toit. Un jour, elle s'est endormie sur le toit. Elle a roulé en bas et s'est fracturé un poignet, en plus du crâne. Deux semaines à l'hôpital. C'est pour cette raison que mère a fait sceller les fenêtres de l'étage. Mais à quoi bon ? Il y avait toujours les clôtures, les chaises, les tables, les arbres chez les voisins, ceux du parc… Mère hurlait : « Je ne te ramasserai pas à la petite cuillère comme ton fou de père qui nous a laissés tout seuls à cause de ses folies ! » Les oiseaux tombent, ici, dans la ruelle. Ils tombent, lourds et durs comme des morceaux de bois. Ils ne se pulvérisent pas.

Le train m'emporte vers la mort de Georgie. Je marche jusqu'au train dans la puanteur des ruelles. Il y a la chaleur aussi. Celle du dernier été de Georgie. Puis la canicule. Le feu qui pousse Georgie à se brûler les ailes. Quand il part en voyage pour ses spectacles aériens, père dit toujours: « Tu dois prendre soin de Georgie. » Je suis bien sous l'arbre. Je ne veux pas en sortir. Je me repose de ce que Georgie me fait vouloir sans que je l'aie choisi. Sous l'arbre, il n'y a que moi. Je n'ai plus de promesse à tenir. Je n'ai plus à lutter contre le vertige. Je suis seul avec ma voix.

❑

Quand elle voit le pont, elle comprend tout de suite qu'il est à sa hauteur. C'est peut-être le deuxième jour dans la campagne de Tomasz. Nous ne sommes pas arrivés depuis longtemps en tout cas. Elle rapporte le pain du village et le pose sur la nappe bleu et blanc, dans la tache de soleil. Elle dit mon nom. Elle dit mon nom et le soleil m'entre dans la tête et brûle mon attente. Elle dit: « Il y a un pont. On ira le voir tantôt. Il est tout rouillé. On doit voir de l'autre côté du fleuve. » Je n'entends pas la suite de ce qu'elle raconte. Elle dit mon nom. Je ferme les yeux. Elle est revenue du village avec sa jupe rouge et la lumière dans son visage. Voilà tout ce qui compte. Le sol est immobile et Georgie le foule en même temps que moi. Seul le ciel court, au-dessus de nous. Je m'accroche à cet instant, à cette solidité sous nos pieds. Je crois que nous ne tomberons pas.

❑

La hauteur du pont est la mesure exacte de la distance qui la sépare du sol à ce moment précis de sa vie. Elle ne trouve pas le calme espéré à la maison entourée d'arbres de son amant. C'est sur le pont que son front redevient lisse. Personne d'autre qu'elle ne va jamais s'y asseoir. C'est un vieux pont désaffecté. Les gens disent : « Ce maudit *tracel*, il faudrait le démolir. Il sert plus à rien et les enfants vont traîner là. C'est dangereux. » Tous les jours elle s'assoit sur le pont, les jambes pendant dans le vide. Les gens la fixent du regard. Quand je monte la rejoindre, les éclats du fleuve me font mal aux yeux. Le métal écaillé me coupe la peau des mains. Je m'agrippe au garde-fou. Je ne veux pas être là. Je ne veux pas voir jusqu'au bout du monde. Elle dit toujours en souriant : « Regarde si c'est beau. On voit loin. » Comme si avant d'aboutir sur ce pont, elle n'avait jamais essayé d'escalader quoi que ce soit, comme si elle n'était jamais montée dans les clochers des églises ou dans les plus hauts buildings de la ville. Sur le pont, elle redevient petite fille. Je la reconnais ; elle est plus grande que la terre.

❑

Après le feu, après la nuit au cirque, nous rentrons à la maison de Tomasz. Le jour se lève. Georgie a des brins d'herbe accrochés à sa jupe, mêlés à ses cheveux. Elle a perdu ses sandales. En arrivant, nous trouvons Tomasz endormi au salon. Il nous a sûrement attendus une bonne partie de la nuit. Georgie monte prendre une douche et se changer. Je la suis. Après la douche, elle enfile une petite robe de coton fleurie. Je reprends mon souffle. Je l'attends, assis sur mon lit. Quand nous redescendons au salon, Tomasz est réveillé. Il a fait du café. J'en bois une tasse.

Puis je monte à ma chambre. Je m'effondre sur le lit. Je m'endors d'un sommeil lourd.

❑

L'air est épais. Trop épais pour les poumons. Je marche vers le port. Je cherche mon souffle. Je marche dans le soleil tapant pour éviter de tomber dans les ombres. Je lève les bras pour voler comme d'habitude. Je reste collé au sol qui ondule sous l'effet de la chaleur. Il n'y a pas un souffle de vent. Quand j'arrive au port, elle est à sa place habituelle, sur le pont. Seulement, elle se tient debout. Je ne monte pas la rejoindre. Je vais sur la grève, près de l'eau, à la recherche d'un peu d'air frais. Je vois tout de là. Je relève la tête. Il y a du monde autour d'elle sur le pont.

❑

Le fleuve se brise en éclats. Le miroir éclate en mille miettes qui me crèvent le regard. Georgie éclate comme le verre, sec. En touchant l'eau, elle se fracasse comme les femmes de verre. Partout des particules lumineuses, à la surface de l'eau, se dispersent. Je regarde le fleuve les porter plus loin, plus bas, vers la mer. Je cours dans l'eau. Autour de moi, de mes jambes, dans mes mains, les éclats de Georgie se dispersent. Quand je les touche, ils se défont en plus petits éclats. Je ne parviens pas à les rassembler. Quand j'arrive trop près, ils se brisent et le courant les emporte loin de moi. Les sirènes des ambulances hurlent, mais elles arrivent trop tard. Georgie est ici, dans l'eau, éparpillée comme les étoiles dans le ciel.

❑

Le fleuve emporte ma sœur en fragments, doucement, comme s'il en avait toujours été ainsi. Il n'y a rien que je puisse recoller. Le fleuve a éteint la chaleur de ce monde. Un grand blizzard m'enveloppe le cerveau. Un homme que j'ai souvent vu en train de ramasser des bouteilles vides sur la grève me tend la main. Je m'assois dans le sable. Je regarde s'éloigner les miettes de Georgie. Tout a repris sa place. L'histoire est logique. Il n'y a pas d'erreur. C'est ainsi que les choses devaient se passer. J'ai toujours su que nos mains se détacheraient. Son histoire à elle s'achève comme ça. Je ne sais pas si le froid vient de l'extérieur ou de l'intérieur. Je pense: «J'y suis. Le pire est finalement arrivé.» Je regarde autour de moi. Tout semble normal. Comme si rien ne venait de se produire. Comme si je n'étais jamais monté sur quoi que ce soit. Comme si le passage de Georgie sur la terre avait été un simple accident. Mes mains sont blanches et vides.

❑

L'homme des bouteilles me tend un morceau de verre poli. Non. Il m'aide d'abord à passer les rochers glissants. Il me guide jusqu'à un endroit sec et plat pour m'asseoir. Ensuite il fouille dans un grand baril rouillé. Puis il me tend un morceau de verre poli par l'eau. Je le prends et le serre dans mon poing. Chaud, dans ma main, le verre, comme la main de Georgie quand on va au marché le dimanche. J'ouvre le poing. Je contemple l'éclat de vitre poli. Sa couleur verte me calme. La douleur me quitte. Je ne suis plus en moi. Je suis dans le verre, emprisonné dedans. L'univers de Georgie et moi est contenu dans cet éclat de verre poli par le fleuve sur lequel je grave les mots de l'histoire.

❑

Des hommes courent vers le pont. Je ne les suis pas. Je reste où je suis. Je reste là où il y a un peu de brise. Ils ne trouveront pas Georgie sous le pont. Ils ne la trouveront pas entre les rochers. Elle est ailleurs. Ce n'est pas là qu'ils doivent commencer leurs recherches. Il suffit de regarder dans le morceau de verre. Georgie est là, dans le morceau de verre. Je suis là aussi. Et la ville. Nous nous tenons par la main. Nous avançons. Nous sommes dans le jardin de mère. Nous grimpons aux arbres.

❑

Des hommes arrivent. Ils me demandent si je connais la jeune femme qui vient de tomber du pont. Je ne réponds pas. Je leur montre le morceau de verre. Je veux leur montrer où se trouve Georgie. Ils ne veulent pas voir. Ils ne font pas attention à mes gestes. L'homme qui ramasse les bouteilles leur dit que je suis probablement de la famille de la jeune femme, qu'il nous a souvent vus ensemble, sur le pont. Ils m'emmènent dans l'ambulance avec eux. Je les suis sans protester. Georgie n'est pas à mes côtés dans l'ambulance. Elle n'est pas toute froide et blanche à côté de moi, sur l'autre civière. Des hommes autour d'elle n'essaient pas de la ranimer. Ils ne lui enfoncent pas des aiguilles dans le corps. Ils ne la massent pas. Ils ne lui donnent pas de l'oxygène. Elle est dans le morceau de verre. Ils ne la massent pas. Ils ne lui donnent pas de l'oxygène. Elle est dans le morceau de verre. Je n'arrive pas à en détacher les yeux. Pendant des jours et des jours. Mère me place à l'hôpital des fous.

❑

On est debout dans le champ, pour voir sauter père. *Quand on saute en parachute, on devient plus grand que la terre.* Georgie a des rubans dans les cheveux. Elle a tressé ses cheveux avec des rubans du même vert que celui du parachute de père. Elle porte une robe de princesse, blanche, avec des rubans et des boutons en forme de roses. Elle se tient comme une princesse. Il a dit qu'il nous enverrait la main de là-haut, pendant la descente. Georgie sautille sur place en tenant la main de mère. On regarde l'avion. Mère a ses verres fumés. C'est la canicule. Elle porte une belle robe sans manches, bleue, qui vole autour de ses jambes nues. Père s'élance de l'avion et est suivi par les autres parachutistes. Il est tout petit. Il dit qu'on est plus grand que la terre quand on saute en parachute. Pourtant, il n'est qu'un petit point dans le ciel bleu. Il tombe, tombe, avec les trois autres hommes, les trois autres points dans le ciel. Ils se tiennent par la main et tombent, font une étoile, forment une ligne droite, un cercle, Georgie rit, on regarde, on regarde, ils planent, la descente n'en finit plus… Puis les parachutes s'ouvrent : un bleu, un rouge, un jaune. On cherche le vert. Il n'est pas là, le vert ! Il n'y a que le bleu, le rouge et le jaune qui se déploient ! Les applaudissements de la foule cessent. Puis : le silence… le silence… le silence… Mère nous enfouit dans sa jupe. Elle tremble. On nous emmène loin d'elle. Pas assez vite. Son cri nous fait hurler aussi. On entend des pleurs et des bruits de pas précipités. Les gens courent dans la direction du terrain où devaient atterrir les quatre parachutistes. On nous emmène, Georgie et moi, dans la canicule, on nous pousse à contre-courant de la foule pour nous éloigner de l'accident. *À la petite cuillère, on va le ramasser à la petite cuillère !* La poussière qui vole me semble être la matière de notre père. Il s'est pulvérisé en touchant le sol.

❑

On me tire du trou sous l'arbre. Je vois le ciel. J'ouvre la bouche. J'aspire. Je suis l'homme brûlé qui passe la tête sous le mur de la cabane. Seulement, moi, je me remets à respirer. Au-dessus de moi : les visages de mère et de Georgie. À quoi est-ce que je pense avant, juste avant de voir le ciel ? Je gratte la terre. Je cherche un passage. Je me débats. Il n'y a pas d'espace pour que je puisse me débattre. Je m'immobilise. La terre grince sous mes dents. Je vais exploser. Je tiens… Je tiens… jusqu'à ce que ça devienne doux… Je me pétrifie. Je m'endors… Je rêve que je tiens le monde dans ma main… Soudain, j'entends Georgie hurler, je l'entends hurler au loin… j'entends aussi des coups sourds au-dessus et autour de moi, en moi… Puis des mains me tirent, me soulèvent, me ramènent à l'air libre. J'ai froid. Je suis un morceau de bois humide qu'on arrache à la chaleur de la terre. J'ai déjà commencé à me déliter. On me tire du trou. On me vide la bouche. On me donne des claques. J'aspire d'un coup le ciel dans mes poumons.

❑

L'extérieur devient l'intérieur. L'intérieur devient l'extérieur. Tout est mis sens dessus dessous. Je parle, je parle, mais on ne m'entend pas. Je vis dans le monde à l'intérieur de moi. Je parle dans le monde à l'intérieur de moi. Au début, je ne m'en aperçois pas. Je pense que rien n'a changé. Puis je m'aperçois que les autres ne m'entendent plus. Georgie non plus ne m'entend pas. Mais elle me parle normalement. Elle me reconnaît. Elle me traîne partout avec elle. Elle ne me laisse pas seul deux minutes depuis qu'on m'a tiré de l'ombre sous l'arbre du jardin.

Elle fait bien attention que je n'y retourne pas. Elle sait de toute façon qu'elle est dans le monde à l'intérieur de moi. Et que peu importe l'envers ou l'endroit, nous marchons main dans la main en évitant les flaques d'eau.

❑

La chaleur pèse sur tout. Depuis des jours, on cuit. Le pays est en feu. Au nord, les forêts brûlent. L'air sent le brûlé jusqu'au village. La fumée est visible à des kilomètres à la ronde. Elle voile le soleil. Elle encrasse les poumons. Je n'ai pas assez de souffle pour crier. Je crie à l'intérieur de moi. Ma tête explose. Les cendres de l'incendie de forêt tombent sur les images. Je me retrouve dans le brouillard. J'entends des chiens aboyer, mais je les imagine peut-être. Peut-être ces aboiements sont-ils ceux des chiens des ruelles? Je ne suis pas certain des sons. Je crois entendre hurler une fillette. Mais peut-être ce hurlement est-il celui de la ville. Ou celui de Georgie comprenant que père vient de s'écraser. Le hurlement est suivi d'un silence qui emporte tout: les images, les sons, les odeurs, la douleur. Je retiens mon souffle, je retiens mon souffle, je tiens, je serre les dents...: jusqu'à ce que tout devienne doux... Je sombre... Je rêve que je tiens le monde dans la paume de ma main. Dans ce rêve, Georgie tient ma main pour ne pas me perdre.

Henri dit : « Pourquoi tu jettes tes objets, fiston ? » Je pense : « Georgie est partie dans le fleuve. Elle n'est pas dans les objets. Elle n'est pas éparpillée dans la ville. Les éclats de ma sœur sont dans le fleuve, partis avec le courant. Je dois aller voir Tomasz. Je dois aller à son appartement. Je dois essayer de lui parler. C'est à lui que je veux raconter notre histoire. Il va rassembler les éclats et les recoller avec ses mots. "Tout a commencé avec les arbres." Je vais lui donner cette phrase qui reconstruit le monde de Georgie et moi. Et lui dire qu'au début "Georgie tient ma main pour ne pas me perdre". Il saura rendre audible ce qui a troublé le courant du fleuve. » Je ne réponds pas à Henri. Je suis toujours un sans-abri sans voix, perdu dans la ville. Il me regarde mettre mes objets les uns après les autres dans le conteneur à ordures bleu. Il secoue la tête. Son regard est doux. Il dit : « Tu peux rester encore, tu sais, fiston. Le printemps est pas encore là. Y a pas le feu… »

❑

Je ne garde que mon calepin plein de notes. Au bout de la ruelle, la ville me happe. Elle m'emporte. Les maisons et les voitures défilent autour de moi. Je pense : « L'immeuble de Tomasz vient toujours quand on passe par la ruelle. Puis, on tourne à droite en sortant du marché. On ne va pas vers le port. On tourne à droite. Ensuite il y a l'école et la caserne des pompiers. Il habite tout en face, dans l'immeuble de briques rouges. » Quand l'immeuble arrive devant moi, je ne suis pas surpris. Pourtant, je suis seul sur le trottoir, cette fois. J'entre. Je monte jusqu'au troisième étage. Il ouvre la porte. Je ne le reconnais pas tout de suite. Ses cheveux sont sales. Ils ont poussé, aussi. Ses traits sont tirés. Il est pieds nus. Il porte son vieux pantalon de toile et une chemise froissée, blanche. Lui non plus ne me reconnaît pas au premier regard. Nous restons plantés là. Nous nous regardons sans comprendre. Ai-je perdu la notion du temps complètement ? On dirait que dix ans se sont écoulés entre nous. Ai-je donc traversé dix hivers sans m'en apercevoir ? Il semble chercher Georgie derrière moi.

❏

Je tends mon carnet à Tomasz. Il me fait signe d'entrer. Je m'assois au salon. Il me regarde longuement. Il déchiffre peut-être sur mon visage mon parcours des derniers mois. Il dit : « Sers-toi. » Il me désigne une bouteille de vin sur la table basse du salon. Je me verse à boire. Il se plonge dans la lecture de mes notes. Le jour tombe. Il lit. Je bois. Il s'interrompt une fois pour allumer la lampe et boire quelques gorgées de vin. Sinon il tourne mes pages. Il déchiffre mes gribouillis. Quand la bouteille est finie, je vais dans le buffet en prendre une autre. Je l'ai vu souvent le faire, quand nous venions chez lui. Sur le buffet se trouve une photo de ma sœur. Je pense : « Nous sommes après Georgie. »

❏

Il a fini de lire. Il me regarde. Il dit : « Tu dois te laver. » Il me donne des serviettes, du savon, un rasoir et me tend des vêtements à lui. Il jette les miens. Après la douche, je le rejoins. Sur la table du salon, il a posé du fromage, du jambon et du pain. Nous mangeons en silence. Ensuite il me prépare un lit sur le canapé. Il se rend à son bureau. Je lisse les couvertures autour de moi. Je défais tous les plis. Je pose les bras par-dessus les couvertures. J'écoute la pluie contre la vitre. J'écoute les bruits de la circulation en bas, le rire des voitures. J'écoute ceux de l'appartement : le craquement du parquet sous les pas de Tomasz, puis les grincements de sa chaise, puis le cliquetis de son clavier. Je ferme les yeux. J'absorbe les bruits. J'absorbe l'odeur de la cigarette de Tomasz. Quand tout est en moi, je sombre enfin dans le repos.

❑

J'ouvre les yeux dans le soleil. Tomasz tape toujours à la machine. Je lisse à nouveau les couvertures autour de mon corps. Je pense : « Je ne suis pas fou. Je suis ici, chez Tomasz, dans la ville. Georgie est là-bas, dans le fleuve. Tomasz est dans les ténèbres sous l'arbre du jardin en train de chercher ma voix. Quand il va remonter, je pourrai parler. Je pourrai raconter notre histoire. Il ne se perdra pas dans les ténèbres. Il y est allé souvent. » Je me lève pour aller l'observer. J'entre dans son bureau. Je m'assois dans le fauteuil près de la fenêtre. Il lève la tête. Il enlève ses lunettes. Il dit : « Quand on est dans le train et que Georgie sort sa tête par la fenêtre, tu sais déjà qu'elle s'envolera… » Je ris. Il rit aussi. Son rire se brise. Il n'y a pas de quoi rire. Mais au fond, pourquoi pas ? Il remet ses lunettes. Il recommence à tourner les pages de mon carnet. Il ne fait pas de bruit en tournant les pages. Il le fait délicatement. Comme quand il glissait ses doigts dans la chevelure de Georgie. Il tourne les pages et prend des notes. Tout ça silencieusement. Je pense : « Il fait attention de ne pas se couper. »

Je recrache le monde que j'ai avalé. À mesure que Tomasz réussit un passage, ma gorge se dénoue un peu plus. C'est dans le ventre que j'éprouve la douleur. Je retiens mon souffle chaque fois qu'il me lit des passages qu'il vient d'écrire. Je serre les dents pour ne pas crier quand ses mots arrachent de mon ventre un morceau d'odeur, de lumière, un goût. Le premier jour d'écriture, il m'a dit : « Je ne sais pas si je réussirai à retirer tous les éclats. Mais je vais écrire le livre de Georgie. Je vais te faire parler dans le livre. Seulement à la condition que tu retournes tous les jours à l'hôpital pour voir ton médecin. Et que tu prennes tes médicaments. Tu reviendras ici tous les soirs pour dormir. Je te lirai les pages que j'aurai écrites durant la journée. C'est un marché entre toi et moi. Si tu le romps, je te ferme ma porte. » Je n'ai pas d'autre choix et c'est le seul qui me convienne. Dès le jour suivant mon arrivée chez Tomasz, je ressors dans la ville. Je marche jusqu'à ce que l'hôpital arrive devant moi. Je pousse la grille. J'entre. Je traverse le jardin. Je me rends au bureau du docteur. Il n'est pas là. Je m'assois dans le fauteuil pour les patients. Je regarde l'orme dehors, tout sec de l'hiver enduré. Les femmes blanches me laissent là, à attendre. Elles courent chercher le docteur. J'entends les chuchotements de leurs voix et de leurs pas dans les couloirs.

❏

Je n'ai pas envie de m'enfuir. Au contraire, j'attends chaque jour avec impatience que Tomasz me lise les pages qu'il a écrites. C'est pour cette raison que je supporte de me rendre tous les jours à la maison pour les fous et de poursuivre les traitements chimiques et les séances d'orthophonie. Tomasz me met ses mots dans la bouche. Il me donne la parole. Il me rend la parole. À force de l'écouter et à mesure que progresse l'histoire, à mesure que nous nous approchons du ton et du rythme qui sont les miens et ceux de l'histoire de Georgie et moi, je commence à reconnaître ma voix dans la voix que Tomasz me prête. Je commence à comprendre que la terre est plus solide qu'il n'y paraît. Alors je rentre tous les soirs chez Tomasz. Il m'ouvre la porte. Un souper m'attend sur la table. Nous mangeons en silence. Il mange peu. Mais le livre lui demande de l'énergie, alors il se force à avaler quelques bouchées. Ensuite, au salon, nous nous versons un verre de porto ou de scotch. Il se met à lire d'une voix douce les passages de la journée. Quand il s'égare, je le ramène aux arbres qu'on coupe et à nos mains liées dans la fureur de la ville. « Tout a commencé par les arbres. » Je lui souligne cette phrase dans le calepin.

❑

L'anéantissement vient brutalement, comme l'amour. Peu importent les signes avant-coureurs de la catastrophe, rien ne nous prépare à l'anéantissement. Rien n'avait préparé l'homme brûlé à sa mort. Rien n'avait préparé mère à la disparition de son homme. Elle avait eu beau s'inquiéter à chaque saut du fou qu'elle adorait, envisager mille fois la possibilité qu'il y ait un problème et qu'il meure, quand cela s'est produit, elle s'est désintégrée avec lui au moment où il touchait la terre. C'est l'histoire d'un tout petit anéantissement personnel dans la somme des anéantissements de l'humanité. Rien ne m'avait préparé à la chute de ma sœur, bien que je l'eusse attendue à tout moment. On pense se préparer, prévoir les coups... On se croit sans force et déjà anéanti à la seule idée de la catastrophe... mais quand soudain vient le grand craquement, le métal grince et le vacarme s'engouffre en nous. Nous devenons sourds. La parole s'éteint.

❑

Autour de la tombe de Georgie, il y a des arbres: un pommier, trois bouleaux, un érable. Quand Tomasz a vu l'endroit prévu pour notre famille, celui situé au bord de la route, le long de la grille, où repose déjà père, il a décidé que non, Georgie ne pouvait pas reposer là. Elle ne pouvait pas non plus être incinérée et reposer dans une urne. Elle détestait la chaleur. Il a convaincu mère. Il a choisi un lot entouré d'arbres et a payé le prix fort pour l'obtenir. Il a dit que j'y aurais ma place aussi, le moment venu. C'est comme ça que le monde est ressorti de moi, quand j'ai vu la tombe de ma sœur, avec son nom gravé dans le marbre: « Ci-gît Georgianna, 7 mai 1976 – 27 août 2003, fille et sœur aimée... » À ce moment précis, j'ai vomi tout ce que j'avais avalé du monde en moi. J'ai vomi des larmes, des cris, les images de Georgie dans sa longue jupe rouge, la douceur de ses cheveux dans mon visage, le son de sa voix, l'odeur de sa peau, son emprise sur ma volonté, la chaleur de sa main dans ma main, son rire, son obstination à partir, à grimper, sa soif de paix, sa joie vacillante, son odeur de neige au printemps, son envie, sa méchanceté, la maison de mère, leurs colères, leurs empoignades, et toute la terre et toutes les ténèbres que j'avais avalées sous l'arbre du jardin... La parole est sortie de moi... L'eau m'a englouti tout d'un coup. Elle nous a engloutis tous les deux, Tomasz et moi, et les arbres et toutes les tombes autour. Tomasz criait, criait, mais je n'entendais pas ce qu'il me criait. Il me secouait. Il me tenait à bras-le-corps. Il me serrait contre lui. Ça a duré longtemps, il me semble. Nous coulions. Je nous sentais couler. Tout à coup on a heurté le fond. J'ai pensé : « Enfin le fond. » Mais Tomasz ne voulait pas rester là. Il m'a ramené à la surface. Je ne voulais pas remonter à la surface. Je voulais rester sous l'eau. Comme quand mère et Georgie se battaient. Je voulais me transformer en pierre et laisser la marée couler au-dessus de moi. Mais Tomasz m'a tiré. Il m'a traîné. Il m'a porté jusqu'au pied d'un arbre. Il a bien fallu que je me remette à respirer. Quand l'eau s'est retirée, il a tout simplement ramassé les éclats. C'est de cette façon qu'il a pu terminer le roman. Il dit qu'on l'a écrit ensemble, mais je ne le crois pas. C'est lui qui s'est coupé les mains en jouant dans les éclats de notre histoire. C'est lui qui a dit les silences.

Le printemps s'installe. Le tumulte des couleurs et des odeurs me grise. Les oiseaux sont revenus. Ils font éclater le silence de la ville et la solitude en moi. La fonte des neiges mouille les rues. Des camions les nettoient avec de grands jets d'eau froide. La neige sale, le sable, les cailloux, les papiers, les débris, tout est projeté en avant, plus loin. J'avance dans le sens contraire de tout ça. Je marche contre le courant pour me rendre à l'hôpital. Je réussis à rester debout. La ville ne me porte pas. Je vais dans ma direction à moi, au milieu du bruit et du chaos. La tentation est forte de me laisser pénétrer par la ville. Mais je marche contre le vent. Je marche contre moi-même. Je mets les pieds dans mes propres traces de pas.

❑

Tous les matins, je passe dans ma ruelle en allant à l'hôpital. Les femmes de verre sont là, alignées contre le mur. Henri aussi est là, à huit heures, pour vérifier la porte arrière du building. Je viens lui dire bonjour et ça lui fait plaisir d'entendre ma voix. Il m'a dit hier: « Un de ces quatre, tu viendras dîner à la maison. Ma femme sera contente. » La tentation est forte de lui demander de me laisser entrer dans la chaufferie, juste pour me blottir un peu et te retrouver. L'envie de me pétrifier ne me quitte jamais complètement. Elle se réveille à tout moment. Surtout quand je vois des filles de verre qui te ressemblent. Tout le long du chemin, les oiseaux dans les arbres me disent que le temps a passé. Mais que je ne suis pas prêt à retourner voir mère dans la maison hermétique.

❏

Tomasz dit: « Un jour, Georgie est entrée. Elle m'a donné cette phrase: "Il suffit d'un arbre devant une fenêtre pour survivre à une maison sans joie." Je lui ai répondu: "Il suffit d'un oiseau dans un arbre, n'importe quel arbre. Dans les camps, il n'y avait plus d'oiseaux à cause de la fumée des fours." » Tomasz aussi recrache le monde qu'il a avalé. Il recrache ses propres images de Georgie et le souvenir de la chaleur qu'ils partageaient, les images de son père et de son grand-père en costumes rayés, les pieds dans la boue, dans le froid… Tous les soirs, quand il n'a pas écrit dans la journée, il me parle des camps, de ses ancêtres, là-bas, de l'autre côté de l'océan, des oiseaux qui avaient fui. Il me parle aussi de sa femme de lumière qui a disparu dans un mur. Je vois les images qu'il a dans la tête: de grandes toiles qu'il dépose devant moi.

Dehors, la ville continue de tourner. Elle ne nous emporte pas. Nous sommes dans un immeuble immobile au cœur de la ville qui court. Et Georgie est au cœur de nous.

Tout a commencé avec les arbres. D'abord le saule qu'on a coupé. À cause des petites verrues rouges sur ses feuilles et de l'ombre qu'il faisait sur la pelouse.

L'extérieur retourne à l'extérieur. Je recrache le ciel, puis la maison, puis l'arbre et le trou sous l'arbre. Je recrache les éclats coupants de ta chute, de toutes tes chutes. Je rends le monde au monde. J'expire le vent. De ma bouche sort le souffle retenu trop longtemps. Et l'histoire recommence.

Au commencement, il y a les arbres, il y a mère et il y a la maison. Une grande maison aux plafonds bas, aux fenêtres étanches qui ne laissent pas entrer le vent, une maison silencieuse, sans craquements, sans voix, sans fissures par où s'échapper. Une maison étrangère avec un saule malade dans la cour.

Tu dis : « On va voir le fleuve. On va prendre le train. Ne marche pas dans les flaques d'eau. » On avance dans la ville, vers le port. Les marchands sentent la sueur, les étalages, la pluie. Une vieille dame échappe sa canne. Elle vacille. Elle tombe. Une petite fille se regarde dans une vitrine. Partout des gens que je ne connais pas. Ils existent dans ma tête, après. Je les emporte avec moi.

Au commencement, je tombe sous l'arbre du jardin.

Les gens me disent que Georgie ne reviendra pas, que je suis fou, que je n'arriverai pas à recoller les morceaux. Je les fracasse tous sur le mur dans mon cerveau. Les uns après les autres, ils volent en éclats. Ce n'est pas vrai. Je pense : « Ce n'est pas vrai. J'ai recollé les morceaux. Tomasz et moi avons recollé les morceaux. » Alors ils se taisent.

Au commencement, père dit : « Quand on vole, on est plus grand que la terre entière. »

Nous sommes maintenant. Nous sommes après. La ville défile autour de moi. Je touche ce que je vois. Je bois ce que j'entends. Les voitures roulent dans un bruit de souffle. Les drapeaux de la ville claquent au vent. Des enfants crient dans une cour d'école. Je classe ces images dans mon cerveau.

Au commencement, Georgie dit : « On va prendre le train, on va voir le fleuve, ne marche pas dans les flaques d'eau. »

La sensation de ta main est imprimée dans la mienne. Je te recrée entièrement à partir de l'empreinte de ta main dans la mienne. Je recrée ton odeur de neige qui fond à partir du printemps qui coule dans la ville. Le pétillement de ton regard, je le retrouve dans le miroitement des flaques de ciel. La sensation de toi en moi est aussi forte que si tu déambulais à mes côtés dans le monde.

Au commencement, l'homme brûlé ne sait pas qu'on l'enfermera dans une cabane avec d'autres hommes et qu'on le brûlera.

La ville défile autour de nous. On avance vers le port, les bruits, les couleurs, tout se mélange devant mes yeux, mais pas les odeurs. Tu sens l'hiver qui fond. Les marchands sentent la sueur, les étalages, la pluie.

Au commencement, nous ne savons pas que nous sommes au commencement. Nous n'avons aucune idée de ce que sera l'anéantissement.

Au commencement, on croit que le soleil s'éteindrait si l'anéantissement venait.

Au commencement, il y a toi en chair et en os, toi qui tiens ma main pour ne pas me perdre.

Au commencement, je ne sais rien du son de ton corps qui éclate en touchant l'eau.

Au commencement, il y a le soleil dans tes cheveux.

Et ça fait un mal fou dans la tête, la joie.

Dans la même collection

Donald Alarie, *David et les autres.*
Donald Alarie, *Tu crois que ça va durer ?*
Émilie Andrewes, *Eldon d'or.*
Émilie Andrewes, *Les mouches pauvres d'Ésope.*
J. P. April, *Les ensauvagés.*
J. P. April, *Mon père a tué la Terre.*
Aude, *Chrysalide.*
Aude, *L'homme au complet.*
Noël Audet, *Les bonheurs d'un héros incertain.*
Noël Audet, *Le roi des planeurs.*
Marie Auger, *L'excision.*
Marie Auger, *J'ai froid aux yeux.*
Marie Auger, *Tombeau.*
Marie Auger, *Le ventre en tête.*
Robert Baillie, *Boulevard Raspail.*
Katia Belkhodja, *La peau des doigts.*
André Berthiaume, *Les petits caractères.*
André Brochu, *Les Épervières.*
André Brochu, *Le maître rêveur.*
André Brochu, *La vie aux trousses.*
Serge Bruneau, *L'enterrement de Lénine.*
Serge Bruneau, *Hot Blues.*
Serge Bruneau, *Rosa-Lux et la baie des Anges.*
Roch Carrier, *Les moines dans la tour.*
Daniel Castillo Durante, *La passion des nomades.*
Daniel Castillo Durante, *Un café dans le Sud.*
Normand Cazelais, *Ring.*
Denys Chabot, *La tête des eaux.*
Pierre Chatillon, *Île était une fois.*
Anne Élaine Cliche, *Rien et autres souvenirs.*
Hugues Corriveau, *La gardienne des tableaux.*
Hugues Corriveau, *La maison rouge du bord de mer.*
Hugues Corriveau, *Parc univers.*
Esther Croft, *De belles paroles.*
Esther Croft, *Le reste du temps.*
Claire Dé, *Sourdes amours.*
Guy Demers, *L'intime.*
Guy Demers, *Sabines.*
Jean Désy, *Le coureur de froid.*
Jean Désy, *L'île de Tayara.*
Danielle Dubé, *Le carnet de Léo.*
Danielle Dubé et Yvon Paré, *Le bonheur est dans le Fjord.*
Danielle Dubé et Yvon Paré, *Un été en Provence.*
Louise Dupré, *L'été funambule.*
Louise Dupré, *La Voie lactée.*
Sophie Frisson, *Le vieux fantôme qui dansait sous la lune.*
Pierre Gariépy, *Lomer Odyssée.*
Jacques Garneau, *Lettres de Russie.*
Bertrand Gervais, *Gazole.*
Bertrand Gervais, *L'île des Pas perdus.*
Bertrand Gervais, *Le maître du Château rouge.*
Bertrand Gervais, *Tessons.*
Mario Girard, *L'abîmetière.*
Sylvie Grégoire, *Gare Belle-Étoile.*
Hélène Guy, *Amours au noir.*
Louis Hamelin, *Betsi Larousse.*
Young-Moon Jung, *Pour ne pas rater ma dernière seconde.*
Sergio Kokis, *Les amants de l'Alfama.*
Sergio Kokis, *L'amour du lointain.*
Sergio Kokis, *Le fou de Bosch.*
Sergio Kokis, *Kaléidoscope brisé.*
Sergio Kokis, *Le magicien.*
Sergio Kokis, *Le maître de jeu.*
Sergio Kokis, *Le retour de Lorenzo Sánchez.*
Sergio Kokis, *Saltimbanques.*
Sergio Kokis, *Un sourire blindé.*
Andrée Laberge, *Le fin fond de l'histoire.*
Andrée Laberge, *La rivière du loup.*
Micheline La France, *Le don d'Auguste.*
Andrée Laurier, *Horizons navigables.*
Andrée Laurier, *Le jardin d'attente.*
Andrée Laurier, *Mer intérieure.*
Claude Marceau, *Le viol de Marie-France O'Connor.*
Véronique Marcotte, *Les revolvers sont des choses qui arrivent.*
Felicia Mihali, *Luc, le Chinois et moi.*
Felicia Mihali, *Le pays du fromage.*
Pascal Millet, *L'Iroquois.*
Marcel Moussette, *L'hiver du Chinois.*
Clara Ness, *Ainsi font-elles toutes.*
Clara Ness, *Genèse de l'oubli.*
Paule Noyart, *Vigie.*
Madeleine Ouellette-Michalska, *L'apprentissage.*
Yvon Paré, *Les plus belles années.*
Jean Pelchat, *La survie de Vincent Van Gogh.*
Jean Pelchat, *Un cheval métaphysique.*
Michèle Péloquin, *Les yeux des autres.*
Daniel Pigeon, *Ceux qui partent.*
Daniel Pigeon, *Dépossession.*
Daniel Pigeon, *La proie des autres.*
Hélène Rioux, *Le cimetière des éléphants.*
Hélène Rioux, *Mercredi soir au Bout du monde.*
Jean-Paul Roger, *Un sourd fracas qui fuit à petits pas.*
Martyne Rondeau, *Ravaler.*
Martyne Rondeau, *Ultimes battements d'eau.*
Jocelyne Saucier, *Les héritiers de la mine.*
Jocelyne Saucier, *Jeanne sur les routes.*
Jocelyne Saucier, *La vie comme une image.*
Adrien Thério, *Ceux du Chemin-Taché.*
Adrien Thério, *Marie-Ève ! Marie-Ève !*
Adrien Thério, *Mes beaux meurtres.*
Gérald Tougas, *La clef de sol et autres récits.*
Pierre Tourangeau, *La dot de la Mère Missel.*
Pierre Tourangeau, *La moitié d'étoile.*
Pierre Tourangeau, *Le retour d'Ariane.*
André Vanasse, *Avenue De Lorimier.*
France Vézina, *Léonie Imbeault.*

Cet ouvrage
composé en Palatino corps 11,5 sur 14,5
a été achevé d'imprimer
en novembre deux mille huit
sur les presses de

MARQUIS

Imprimé au Canada

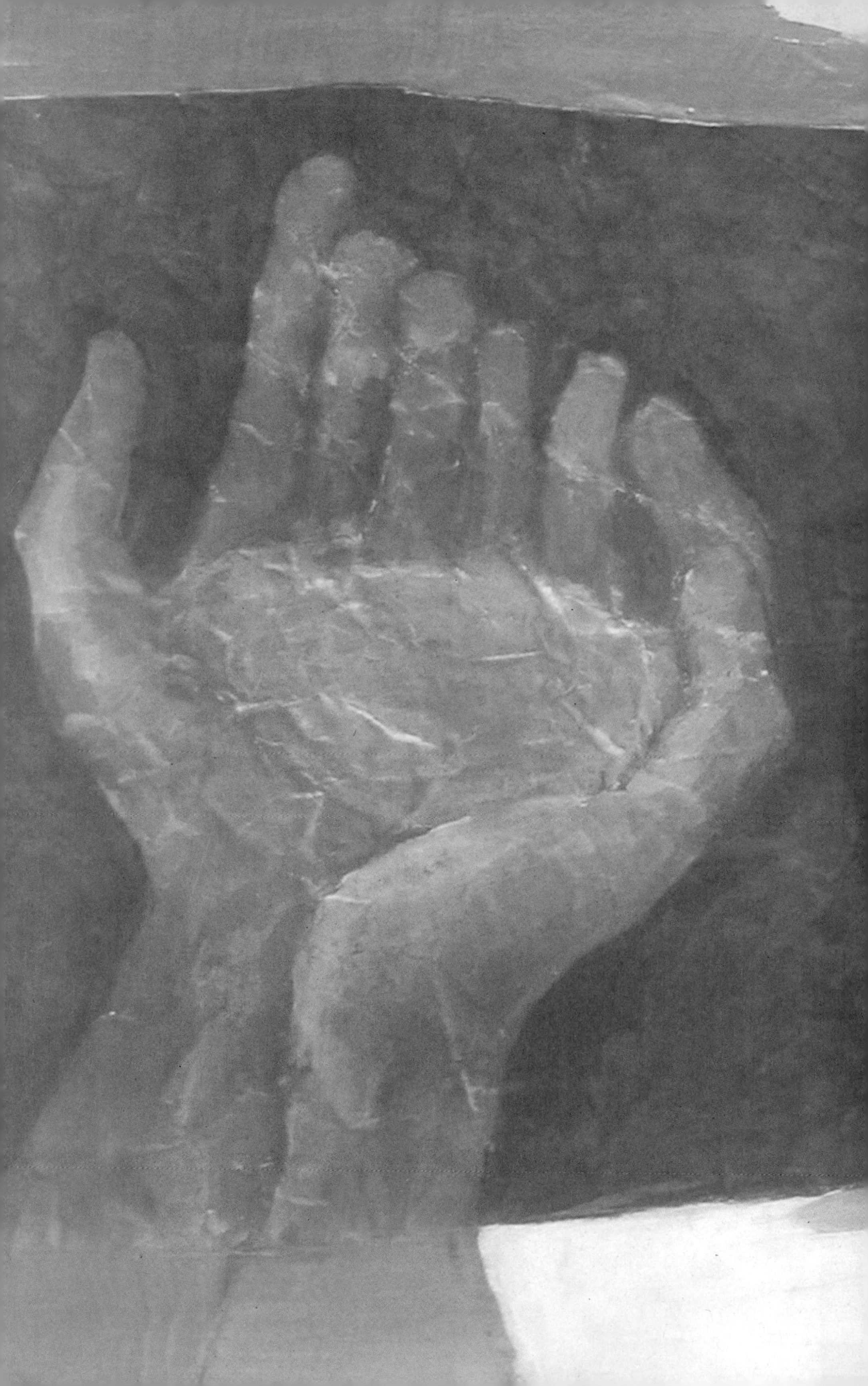